Niveau ii

Claire **Miquel**
Anne **Goliot-Lété**

Vocabulaire
Progressif
du Français

2e ÉDITION

avec 375 exercices

CLE
INTERNATIONAL
www.cle-inter.com

Édition : Christine Grall
Conception maquette : Evelyn Audureau
Couverture : Fernando San Martín
Illustrations : Marc Fersten

AVANT-PROPOS

Le **Vocabulaire progressif du français, niveau intermédiaire**, s'adresse à des **adultes et adolescents** abordant le **niveau B1**. Ce manuel peut s'utiliser aussi bien **en classe**, comme support ou complément de cours, qu'**en auto-apprentissage**.

Cette **deuxième édition, profondément revue, modifiée et augmentée**, conserve la structure fondamentale de l'ouvrage d'origine, mais offre de nouveaux chapitres, ainsi que de nombreux exercices supplémentaires et des outils pédagogiques variés.

Composé de **25 chapitres thématiques**, cet ouvrage présente les thèmes usuels de la vie quotidienne, généralement abordés au **niveau B1**. Les chapitres jouissent d'une autonomie complète, ce qui permet à l'élève de travailler tel ou tel sujet, selon ses besoins, et dans l'ordre qu'il souhaite.

Certains chapitres ont été modernisés (la technologie, par exemple, qui évolue à une vitesse spectaculaire !), tandis que d'autres ont été développés et enrichis : les relations humaines, le caractère, la vie professionnelle, le commerce... Enfin, apparaissent de **nouvelles thématiques** : société et diversité, nature et environnement, débats et opinions, art et culture.

Le lexique, qui ne tend en aucun cas à l'exhaustivité, découle d'un choix subjectif mais raisonné, reposant sur une longue et constante pratique de professeurs. Il s'agit de permettre à l'élève de se plonger, aussi facilement et agréablement que possible, dans **la réalité de la France d'aujourd'hui**.

Nous nous sommes efforcées de n'utiliser que des structures grammaticales simples, afin que le lecteur ne bute pas sur des difficultés de grammaire. Il va de soi que nous avons tenu compte, dans l'élaboration et la rénovation de ce manuel, des observations, questions, difficultés, besoins de nos étudiants et de nos collègues.

Ce volume s'inscrit dans une collection dont il respecte le principe :
• *Sur les pages de gauche :* une leçon, construite comme un cours, présentant le vocabulaire d'une manière vivante. Divers procédés sont mis en œuvre : une histoire (chapitre 3), une mise en contexte (chapitre 9),

des illustrations (chapitre 8), ou un combiné des trois (chapitre 12). Les « remarques » précisent des points de vocabulaire, de grammaire ou encore de culture, comme le ferait un professeur dans sa classe.

• *Sur les pages de droite :* **des exercices d'application** de nature aussi variée que possible *(vrai ou faux, questions à choix multiples, exercices à trous, associations, identifications, dessins à commenter, mots croisés, devinettes…).* Ces pages sont enrichies de **nombreux exercices communicatifs** qui se prêtent aussi bien à l'expression orale, sous forme de débat en classe, qu'à l'expression écrite. Ils invitent l'étudiant à **s'exprimer librement** sur le sujet, à faire des comparaisons avec sa propre culture et à s'approprier le vocabulaire abordé dans la leçon.

Ces activités pédagogiques sont classées par ordre de difficulté croissante (c'est l'aspect « progressif » du manuel) : à l'intérieur de chaque page, puis dans l'ensemble du chapitre.

• En fin d'ouvrage, **9 activités communicatives** viennent compléter la démarche. Il s'agit de documents variés *(courriers électroniques, dialogues, articles de presse, cartes postales, textos…),* faisant intervenir différents thèmes présentés dans le livre. Chaque document, enregistré sur **un CD inclus** dans le livre, est suivi d'exercices de compréhension et de vocabulaire.

• Vient ensuite **un test d'évaluation** noté sur 100, composé de dix exercices faisant appel à l'essentiel du vocabulaire étudié. Selon le choix du professeur, le test peut se faire au début de l'apprentissage, pour estimer le niveau de départ de l'élève ou, au contraire, à la fin, pour constater les progrès !

• Pour finir, un **index lexical** très développé permet à l'étudiant de retrouver les occurrences d'un mot : il pourra donc en découvrir les divers sens et les divers usages.

• Les **corrigés** des exercices se trouvent dans **un livret séparé**.

Grâce à sa souplesse d'utilisation et à l'autonomie de ses chapitres, cet ouvrage constitue un utile complément aux méthodes de français langue étrangère.

L'astérisque* qui suit certains mots ou expressions signale leur appartenance au registre familier de la langue.

SOMMAIRE

1 PRÉSENTATIONS ET USAGES

SE SALUER

■ Les gestes

• **On serre la main** d'une personne à qui on est **présenté**, quand on **fait sa connaissance**, en particulier dans le contexte professionnel.

> Bonjour, madame, enchanté de vous connaître !

> Bonjour, monsieur, enchantée !

• **On serre la main** aussi pour **saluer** (= dire bonjour ou au revoir), surtout entre hommes. Les femmes **s'embrassent** plus facilement, même dans des situations professionnelles.

> Au revoir, Julie, à la prochaine !

> À bientôt, Anaïs !

• Dans une famille, on s'embrasse. Dans tous les cas, le nombre de **baisers / bises*** / **bisous*** varie d'une région à l'autre : on fait deux, trois ou quatre baisers sur la joue.

• Entre amis ou membres de la famille, on finit souvent une conversation téléphonique ou un mail par : « **je t'embrasse !** » « **bisous !** » « **gros bisous !** », « **grosses bises !** ».

> Bonjour, maman !

> Bonjour, mon chéri !

Remarque. « Embrasser » signifie maintenant « faire un baiser », « faire la bise* » à quelqu'un (et non plus « prendre dans les bras »).

■ Le vouvoiement et le tutoiement

• Le choix est délicat. Il dépend de l'âge, du statut social et du caractère. On **se tutoie** à l'intérieur de la famille. On **tutoie** un enfant, même si on ne le connaît pas et aussi… un animal ! On **vouvoie** une personne qu'on rencontre pour la première fois : la tutoyer peut être **impoli**, et même **insultant** dans certains cas. Cependant, les jeunes se tutoient très facilement. Les enfants se tutoient entre eux et apprennent progressivement à vouvoyer les adultes.

• Trois formes sont utilisables, selon le contexte :
Bonjour, madame, vous…   (madame / monsieur + vouvoiement)
Bonjour, Charlotte, vous…   (prénom + vouvoiement)
Bonjour, Charlotte, tu…   (prénom + tutoiement)

1   Vrai ou faux ? Dites ensuite si les personnes vont se vouvoyer ou se tutoyer.

1. Ils ne se connaissent pas bien.

Vrai ☐ Faux ☐ *vous*

2. Elles se disent bonjour ou au revoir.

Vrai ☐ Faux ☐ _____

3. Ils s'embrassent.

Vrai ☐ Faux ☐ _____

4. Ils sont père et fils.

Vrai ☐ Faux ☐ _____

5. Elles sont amies.

Vrai ☐ Faux ☐ _____

6. Ils font connaissance.

Vrai ☐ Faux ☐ _____

2   Choisissez la ou les bonne(s) réponse(s).

1. Excusez-moi, | ma chérie | Mathilde | madame | !

2. Au revoir, | Quentin | monsieur | mon chéri |, je t'appelle ce soir.

3. Pour dire bonjour, je fais | un | deux | dix | bisous.

4. Au revoir ! | Bisous | Je vous embrasse | Grosses bises | !

5. Quand on fait connaissance, | on peut se serrer la main | s'embrasser | se dire au revoir |.

6. Bonjour, monsieur, enchanté de | vous | te | le | connaître !

3   Vrai ou faux ?

	VRAI	FAUX
1. Embrasser quelqu'un est toujours impoli.	☐	☐
2. On peut se serrer la main pour dire au revoir.	☐	☐
3. Le nombre de baisers n'est pas toujours le même.	☐	☐
4. On peut tutoyer un enfant.	☐	☐
5. On peut vouvoyer quelqu'un et l'appeler par son prénom.	☐	☐
6. Tutoyer est parfois une insulte.	☐	☐

JE T'EN PRIE / JE VOUS EN PRIE

• Cette locution s'utilise dans de nombreux contextes. Elle permet de répondre **au remerciement** et **à l'excuse** :

– **Je te / vous remercie !**

– **Je t' / vous en prie !**

   (= Il n'y a pas de quoi !)

– **Excusez-moi ! Je suis désolé(e) !**

– **Je vous en prie ! (= Ce n'est pas grave !)**

• Elle s'emploie aussi quand on autorise quelqu'un à faire quelque chose, ou pour atténuer la brutalité d'un impératif :

– **Je peux téléphoner ?**

– **Je t' / vous en prie !**

– **Asseyez-vous, je vous en prie !**

• On l'emploie aussi pour laisser passer une personne :

– **Après vous, je vous en prie !**

UTILISATION DU VERBE « ALLER »

• Ce verbe est utilisé pour demander des nouvelles (de la santé, de l'humeur, du travail…) :

– **Comment vas-tu ? Comment allez-vous ? Ça va* ?**

– **(Très) bien, merci. Et toi / vous ?** > **Assez bien**, merci ! Et toi / vous ? > **Pas trop mal***, merci ! Et toi / vous ? > **Ça peut aller***, merci ! Et toi / vous ?

– **Vous allez mieux ? Tu vas mieux ? Ça va mieux ?** *(si quelqu'un a été malade)*

– Oui, **je vais mieux, ça va mieux.** (≠ **Non, pas vraiment**, je suis toujours malade.)

• Ce verbe permet aussi d'exprimer un espoir :

– J'espère que **tout ira bien** !

– Mais oui, rassure-toi, **tout ira bien** !

• L'expression « **ça te va ?** », « **ça vous va ?** » signifie « vous êtes d'accord ? »

– Une réunion mardi à 14 h, **ça te / vous va ?**

– **Oui, ça me va !** Non, désolé(e), **ça ne me va pas**, je suis pris(e).

• L'expression « **ça va ?** », familière, signifie aussi : « **Tout va bien ?** Vous avez compris ? »

DEMANDER DES NOUVELLES

– Alors, **comment s'est passé** ton examen ? / **Comment ça s'est passé ?** / **Tout s'est bien passé ? Ça a été* ?**

– Oui, **tout s'est bien passé.** Oui, **ça a été*** ! Oui, ça ne s'est pas trop mal passé.

– Non, ça ne s'est pas bien passé. Non, **ça s'est mal passé !**

1 Complétez les bulles suivantes.

Oh, excusez-moi !

Je peux prendre ton stylo ?

------------------------- !

1.   **2.**

Merci, madame.

Merci, monsieur.

3.   **4.**

2 Que pouvez-vous répondre à ces phrases ?

1. Karim, s'il te plaît, je peux téléphoner ? – _____

2. Alors, ça va mieux ? – _____

3. Monsieur, je suis absolument désolée ! – _____

4. Vendredi à 10h30 chez moi, ça vous va ? – _____

5. Comment allez-vous ? – _____

6. Alors, ça a été ? – _____

7. Je vous remercie beaucoup ! – _____

8. J'espère que tout ira bien ! – _____

3 Associez une situation à une question.

1. Deux copains se voient dans la rue. Ils se disent :   **a.** Jeudi matin, ça vous va ?

2. La vieille dame a été fatiguée. Sa voisine demande :   **b.** Comment ça s'est passé ?

3. La voisine demande des nouvelles des enfants :   **c.** Tu vas mieux ?

4. Louise a passé un examen. Sa mère lui demande :   **d.** Ça va ?

5. Je demande des nouvelles du bébé :   **e.** Vous allez mieux ?

6. Ariane a été malade. Son frère lui demande :   **f.** Ils vont bien ?

7. Philippe organise une réunion. Il demande :   **g.** Il va bien ?

LES VŒUX ET LES USAGES

■ Les fêtes

• On appelle « **les fêtes** » la période qui va de Noël au **jour de l'an**. Avant Noël, on souhaite donc : **Joyeux Noël ! Joyeuses fêtes ! Bonnes fêtes de fin d'année !** **Le Premier de l'an**, on souhaite **la bonne année** : **Tous mes vœux ! Tous mes vœux pour la nouvelle année ! Je te / vous souhaite une très bonne et heureuse année !**

• On envoie des **cartes de vœux** à ce moment-là ; on a tout le mois de janvier pour le faire.

• La soirée du 24 décembre s'appelle **le réveillon de Noël** et la soirée du 31 décembre, **le réveillon du Nouvel an**. Ces soirs-là, **on réveillonne** (= *on participe à un très bon dîner*).

• Dans la tradition catholique, on souhaite « la fête » à ses amis. Par exemple, le jour de la Saint-Marc : **Bonne fête**, mon cher Marc !

• Le jour de l'anniversaire : **Bon anniversaire / Joyeux anniversaire**, Élodie !

■ Les événements de la vie

• Lors d'**un deuil**, quand quelqu'un est mort, on **présente ses condoléances**. Les mots sont délicats, car ils dépendent des relations personnelles. On peut dire : **J'ai appris la triste nouvelle / le décès de… Je suis absolument désolé(e) pour toi / vous. Mon / ma pauvre, je suis de tout cœur avec toi / vous. Je pense beaucoup à toi / vous.**

• À l'occasion d'**un mariage**, plusieurs expressions sont possibles : **Tous mes vœux de bonheur ! Toutes mes félicitations ! Je vous souhaite beaucoup de bonheur !** Pour **la naissance** d'un bébé : **Toutes mes félicitations aux heureux parents !**

■ La sociabilité

• Avant une compétition, un match, un examen, on souhaite **bonne chance**. Si le résultat est positif, si la personne a **réussi** son examen, a gagné le match, on dit : **Félicitations ! Toutes mes félicitations ! Je suis très content(e) pour toi / vous ! Bravo ! Chapeau* !** *(avec une nuance d'admiration)*

• Quand quelqu'un doit faire quelque chose de difficile et / ou désagréable, on l'encourage en disant : **Bon courage !** Les Français emploient beaucoup cette expression.

• Si un(e) inconnu(e) éternue, on ne dit rien. Si on connaît bien la personne, on dit : **À tes / vos souhaits !**

• On **trinque** en disant : **À la tienne ! À la vôtre ! À ton / votre succès ! À ton / votre nouveau travail ! Tchin-tchin* !**

E X E R C I C E S

1   Choisissez la ou les bonne(s) réponse(s).

1. Pour Noël | mon anniversaire | mon examen , nous avons réveillonné.

2. Comme elle va se marier, je lui dis : bon courage | toutes mes félicitations | tous mes vœux de bonheur !

3. Ma sœur a éternué, je lui dis : bravo | à tes souhaits | à la tienne !

4. C'est l'anniversaire de Julien. On lui dit : bonne fête | bonne chance | bon anniversaire !

5. Nous sommes le 1er janvier, je dis : tous mes vœux | à vos souhaits | bonne année !

6. Léa a eu une promotion, on lui dit : bravo | toutes mes condoléances | tous mes vœux !

7. Léo va passer un examen. Ses parents lui disent : chapeau | bon courage | bonne chance !

2   Associez une situation et un commentaire.

1. Julie va se marier.   **a.** Félicitations !

2. Barbara va travailler tout le week-end.   **b.** À tes souhaits !

3. C'est l'anniversaire de Bruno.   **c.** Tous mes vœux de bonheur !

4. Frédéric a éternué.   **d.** Bon courage !

5. C'est la fête d'Antoine.   **e.** Bonne chance !

6. Romain a eu une promotion.   **f.** Bon anniversaire !

7. Irène va participer à un jeu télévisé.   **g.** Bonne fête !

3   Que disent-ils ?

1.

2.

4   À vous ! Parlez de votre culture et de votre langue.

1. Comment distingue-t-on les niveaux de relation (collègues, amis, famille, voisins, étrangers dans la rue…) ? Par des gestes ? Par des formules de politesse ? Autre chose ?

2. Le tutoiement et le vouvoiement existent-ils ? Si oui, comment les employez-vous ?

3. Utilise-t-on de nombreuses formules de politesse ou, au contraire, sont-elles rares ? Ces formules sont-elles en général difficiles pour les étrangers ?

4. Se serre-t-on la main ? Si oui, dans quelles circonstances ? Si non, quel geste ou quelle attitude seraient un équivalent ?

5. Que fait-on au moment des anniversaires ? Est-ce une fête importante ?

6. L'usage existe-t-il de trinquer ? Dans quelles circonstances ?

7. Si on éternue, doit-on dire quelque chose ou préfère-t-on ignorer la situation ?

8. Certains gestes français (serrer la main, par exemple) ont-ils un autre sens dans votre culture ?

2 LA FAMILLE

LES LIENS FAMILIAUX

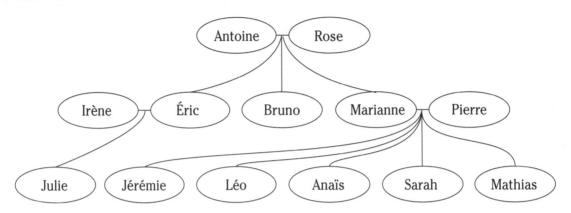

- Antoine et Rose sont les **parents** d'Éric, Bruno et Marianne. Antoine est leur **père**, Rose est leur **mère**.

Rose et Antoine sont **mariés** : Antoine est le **mari** de Rose, Rose est la **femme** d'Antoine.

- Rose et Antoine ont trois **enfants** : deux **fils** (Éric et Bruno) et une **fille** (Marianne). Éric et Bruno sont les deux **frères** de Marianne, Marianne est la **sœur** d'Éric et de Bruno.

- Antoine et Rose ont six **petits-enfants** : trois **petites-filles** et trois **petits-fils**. Antoine et Rose sont les **grands-parents** (**paternels**) de Julie (= les parents de son père).

Rose est **la grand-mère** (**maternelle**) de Mathias (= la mère de sa mère), Antoine est son **grand-père** (maternel).

- Irène est **la tante** de Mathias, Éric est son **oncle**.

Sarah est **la nièce** d'Éric, Mathias est **le neveu** d'Éric.

Mathias est **le cousin** (**germain**) de Julie, Julie est **la cousine** (**germaine**) de Sarah.

- Éric est **le beau-frère** de Pierre (= le frère de sa femme).

Pierre est aussi **le beau-frère** d'Éric (= le mari de sa sœur).

Marianne est **la belle-sœur** d'Irène (= la sœur de son mari).

Irène est aussi **la belle-sœur** de Marianne (= la femme de son frère).

- Antoine et Rose sont les **beaux-parents** d'Irène (= les parents de son mari). Antoine est son **beau-père**, Rose est sa **belle-mère**.

Pierre est **le gendre** d'Antoine (= le mari de sa fille). Irène est **la belle-fille** d'Antoine (= la femme de son fils).

E X E R C I C E S

1 Vrai ou faux ? Reportez-vous aux indications de la page de gauche.

	VRAI	FAUX
1. Anaïs est la cousine de Bruno.	☐	☐
2. Jérémie et Léo sont deux enfants de Marianne et Pierre.	☐	☐
3. Bruno est l'oncle de Julie.	☐	☐
4. Sarah a deux oncles.	☐	☐
5. Julie est la tante de Bruno.	☐	☐
6. Bruno est le frère de Pierre.	☐	☐
7. Bruno est le beau-frère de Pierre.	☐	☐
8. Antoine est le beau-père de Pierre.	☐	☐
9. Anaïs et Sarah sont les sœurs de Mathias.	☐	☐
10. Rose est la grand-mère maternelle de Julie.	☐	☐

2 Complétez en respectant les indications de la page de gauche.

1. Jérémie, Léo, Anaïs, Sarah, Mathias et Julie sont les _____ de Bruno.

2. Anaïs et Sarah sont les _____ de Marianne et Pierre.

3. Marianne et Pierre sont les _____ de Mathias.

4. Léo est le _____ de Jérémie.

5. Anaïs est la _____ d'Antoine et Rose.

6. Anaïs est la _____ de Julie.

7. Pierre est le _____ de Bruno.

8. Antoine et Rose sont les _____ de Pierre.

9. Marianne est la _____ de Julie.

10. Irène est la _____ de Bruno.

3 Complétez l'arbre en respectant les informations suivantes :

Juliette a trois enfants.

Ariane a un frère et une sœur.

Élodie est la fille de Sébastien.

Ariane est la petite-fille de Nicole.

Gérard est le grand-père paternel de Marie.

Laure est la belle-fille de Nicole.

Frédéric est l'oncle de Damien.

Sébastien est le beau-frère de Frédéric.

Élodie et Ariane sont sœurs.

Damien est le cousin de Marie.

Laure et Frédéric ont une seule fille.

Nicole est la belle-mère de Sébastien.

LA VIE DE FAMILLE

• Jean-Louis vit en Australie. Il est marié à Eva. Eva et Jean-Louis n'ont pas pu avoir d'enfant et ont décidé d'**adopter** une petite fille, Lisa. Lisa est leur **fille adoptive**. Jean-Louis et Eva sont les **parents adoptifs** de Lisa. Lisa n'a ni frère ni sœur : elle est **fille unique**.

• Jean-Louis n'a pas vu ses parents depuis plusieurs années. Il vient en France à Noël pour **passer les fêtes en famille**. Éva fera connaissance avec sa **belle-famille** (= la famille de son mari).

• Jean-Louis a trois **frères aînés** (plus âgés que lui) et deux **sœurs cadettes** (plus jeunes que lui). Six enfants ! En France, c'est une **famille nombreuse**.

• Deux frères de Jean-Louis sont **jumeaux** (ils sont nés le même jour) et ses deux sœurs, les deux **petites dernières**, sont, elles aussi, des **sœurs jumelles**.

• Pour l'occasion, les parents de Jean-Louis ont invité la **famille proche** (ses oncles, tantes et cousins germains). Ils n'ont pas invité les **parents éloignés** (les cousins de ses cousins, les parents de son beau-frère, etc.) car ils sont trop nombreux.

• En arrivant, Jean-Louis prend des nouvelles de chacun : l'un de ses frères, Sébastien, qui avait déjà un fils (Erwan), vient de **se remarier** avec Agnès qui avait déjà deux filles (Agathe et Lucie). Ils forment ensemble une **famille recomposée**. Agnès est la **belle-mère** d'Erwan, Sébastien est le **beau-père** d'Agathe et Lucie. Erwan est **le beau-fils** d'Agnès. Lucie et Agathe sont les **belles-filles** de Sébastien. Sébastien et Agnès attendent une petite fille qui aura donc deux **demi-sœurs** et un **demi-frère** (les demi-frères et les demi-sœurs ont soit le même père, soit la même mère).

• Jean-Louis fait la connaissance du fils de sa sœur Alice. « Tu **ressembles** beaucoup à ta maman, il y a vraiment **un air de famille** ! »

Remarques. **1.** *Les parents* sont « le père et la mère ». Un *parent proche* peut être un oncle, un *parent éloigné*, la tante d'un beau-frère. **2.** *Ma belle-mère* signifie la mère de mon mari (ou de ma femme), mais aussi la nouvelle femme de mon père. De même, *mon beau-père* signifie le père de mon mari (ou de ma femme), mais aussi le nouveau conjoint de ma mère. Enfin, *la belle-fille* désigne aussi bien la femme du fils que la fille du nouveau conjoint. **3.** *La famille* signifie « le père, la mère et les enfants », mais aussi l'ensemble des parents proches ou éloignés.

1 **Choisissez la bonne réponse.**

1. Romain est le cousin du père de la belle-sœur de Lucie. C'est un | parent proche | parent adoptif | grand-parent | parent éloigné | de Lucie.

2. Sophie et son mari aiment les familles nombreuses. Ils espèrent avoir beaucoup | de parents proches | de parents éloignés | d'enfants | de petits-enfants |.

3. Pierre vit avec sa femme et le fils de sa femme. Ils forment une | famille recomposée | famille nombreuse | belle-famille | famille proche |.

4. Miroslav est le mari de la fille de Svitlana : c'est le | fils adoptif | gendre | cousin éloigné | beau-père | de Svitlana.

5. Tous les frères et sœurs de René sont plus âgés que lui : René est | l'aîné | le jumeau | le beau-frère | le petit dernier |.

6. Fabienne s'est remariée avec Philippe qui avait déjà une fille, Anna. Anna est la | petite-fille | belle-fille | fille | fille unique | de Fabienne.

2 **Complétez.**

Chantal Descluse est écrivain. Un journaliste lui pose des questions :

1. – Le personnage de votre roman, Maxime, a beaucoup de frères et sœurs. Est-ce que vous venez, vous aussi, d'une _____ ?

   – Non, je n'ai qu'une sœur.

2. – Êtes-vous _____ ou la _____ ?

3. – Je suis l'aînée, mais de quelques minutes seulement car nous sommes _____, ma sœur et moi.

4. – Les _____, en général, ont un rapport particulier à la famille.

5. – Oui, il y a d'abord une très forte ressemblance. Croyez-moi, entre ma sœur et moi, c'est plus qu'un _____.

6. – Dans votre roman, Maxime quitte sa femme pour se remarier avec l'ex-femme de son frère, autrement dit, il épouse sa _____ !

7. – Oui, et c'est difficile, psychologiquement, pour les enfants : leur tante devient leur _____ et leurs _____ deviennent presque leurs frères et sœurs.

3 **À vous !**

1. Parlez de votre famille et des liens familiaux.

2. Connaissez-vous des familles recomposées ? Décrivez-en la structure.

3. Dans votre langue, existe-t-il un équivalent de « belle-mère », de « beau-père » (au sens de nouvelle femme du père ou de nouveau conjoint de la mère) ?

3 LES RELATIONS – LES SENTIMENTS

L'AMOUR

■ La rencontre

• Pierre **rencontre** Marianne. Pierre et Marianne **se rencontrent**. Ils **font connaissance**. Pierre **tombe** immédiatement **amoureux de** Marianne, c'est **le coup de foudre**. Marianne **tombe amoureuse de** Pierre. Elle est **folle de lui**. Pierre n'est pas **dragueur***. C'est Marianne qui le **drague*** mais finalement, Pierre lui **fait sa déclaration d'amour**. Il l'**adore**. C'est **la passion**.

• Pierre **embrasse** Marianne. Pierre et Marianne **s'embrassent**, ils **échangent un baiser**. Un jour, ils **font l'amour** et deviennent **amants**. Ils entament **une liaison**, **une relation amoureuse**.

■ Vivre à deux

• Pierre **vit seul**. Pierre et Marianne **se voient** chez Pierre. Puis, Marianne va **vivre avec** Pierre : elle **s'installe** chez lui. Ils **vivent ensemble** (= **en couple**).

• Pierre **demande** Marianne **en mariage**. Mais Marianne ne veut pas **se marier** car elle est trop jeune. Elle préfère rester **célibataire** et **vivre en concubinage** (= vivre à deux sans être mariés).

■ Le mariage

• Un an après, Marianne accepte d'**épouser** (= **se marier avec**) Pierre. Mais elle ne veut pas **se marier à l'église** = elle ne veut pas d'**un mariage religieux**. Elle préfère **se marier à la mairie** = elle préfère **un mariage civil**.

• Pierre et Marianne envoient **leur faire-part de mariage**. Leurs deux meilleurs amis seront leurs **témoins**.

• Après le mariage, les mariés partent en **voyage de noces**. Ils passent leur **lune de miel** à Rome. Ils **sont** très **amoureux**. Ils **s'entendent bien**, ils sont heureux ensemble. C'est une belle **rencontre**. Quel beau **couple** !

Remarques. 1. Pour désigner l'autre, dans une relation amoureuse, on peut dire :
– quand on n'est pas marié : **mon ami/mon amie, mon petit ami/ma petite amie, mon (petit) copain/ma (petite) copine, mon compagnon/ma compagne** ;
– quand on est marié : **mon mari/ma femme, mon époux/mon épouse, mon/ma conjoint(e).**
2. *Ami(e)* et *copain/copine* s'emploient aussi pour parler d'une relation d'amitié : un dîner, une soirée entre amis, entre copains : *Mon ami(e) m'a téléphoné* (relation amoureuse). *Un(e) ami(e) m'a téléphoné* (amitié).
3. On appelle la personne aimée **mon (ma) chéri(e), mon amour, mon cœur, mon trésor…**

1 Vrai ou faux ?

	VRAI	FAUX
1. Il est d'accord pour se marier avec elle. = Il veut bien l'épouser.	☐	☐
2. Ils vont se marier à l'église. = Ils auront un mariage civil.	☐	☐
3. Ils vivent une grande passion. = Ils sont vraiment très amoureux.	☐	☐
4. Ils sont en voyage de noces à New York. = Ils se sont mariés à New York.	☐	☐
5. Ils s'entendent bien. = Ils vivent ensemble.	☐	☐
6. Ils passent leur lune de miel à Prague. = Ils se sont rencontrés à Prague.	☐	☐

2 Dans les phrases suivantes, indiquez s'il s'agit d'amour ou d'amitié.

	Amour	Amitié
1. – Allô, Juliette, est-ce que tu es libre samedi ? On invite quelques *amis* à dîner.	☐	☐
2. – Qui est-ce que vous invitez ?		
3. – Il y aura Thibaut et sa *compagne*.	☐	☐
4. – Thibaut a une *petite amie*, maintenant ?	☐	☐
5. – Oui, tu ne savais pas ?		
6. – Et moi, est-ce que je peux venir avec mon nouvel *ami* ?	☐	☐
7. – Ah ! Tu as un nouveau *petit copain* ? Je voulais justement	☐	☐
te présenter un *ami* de Clément.	☐	☐
8. – Alors, dans ces conditions, je viens seule.		
9. – Et puis il y aura aussi des *copains* de la fac.	☐	☐
10. – Vous avez beaucoup d'*amis* !	☐	☐

3 Complétez ce mail. Plusieurs solutions sont parfois possibles.

○ ○ ○	Boîte de réception (851 message(s))	
Supprimer Indésirable	Répondre Rép. à tous Réexpédier Nouveau Relever	Q Rechercher
• ● De	Objet	Date de réception ▼

Boîte de réception

Messages envoyés
► **Corbeille**
Courrier indésirable (290)
BackUp
► **Importation**

Ma chère Léna,

Tu avais raison, c'était une bonne idée de partir en voyage organisé. Je t'annonce une grande nouvelle : j'ai _____ un homme. Dès le troisième jour, nous sommes _____ amoureux l'un de l'autre. Ça a été immédiatement le coup de _____, on s'_____ très bien. Il m'a déjà demandé si je voulais _____ chez lui. Mais je ne suis pas pressée. Tu sais, il est un peu fou, il pense même au _____. Alors là, j'ai dit non. Mais il faut reconnaître que ce voyage ressemble un peu à un voyage de _____, à une _____ de miel. Alors, pourquoi se _____ ? Je suis très _____ et très heureuse.

Je t'embrasse affectueusement, je t'appelle en rentrant.

Lise

DIFFÉRENTES MANIÈRES DE VIVRE EN COUPLE

Deux personnes qui désirent vivre ensemble peuvent se marier ou vivre en concubinage. Depuis 1999, elles peuvent aussi **se pacser**, conclure un **Pacs**, « Pacte civil de solidarité ». Le Pacs détermine certains droits et obligations. Le **mariage homosexuel** n'étant pas autorisé en France, de nombreux **couples homosexuels** font le choix de se pacser (ce qui n'interdit pas le Pacs aux **couples hétérosexuels**, bien sûr).

DE L'AMOUR AUX CONFLITS

Kevin et Elvire sont mariés depuis quatre ans mais ils **ne s'entendent plus** du tout et **se disputent** constamment. Leur vie est devenue un **conflit** permanent.

ELLE : Il faut qu'on parle, tous les deux.

LUI : Qu'est-ce que tu veux me dire ? Que **tu ne m'aimes plus** ?

ELLE : Au contraire, je voulais te dire que, malgré tes **scènes de ménage**, malgré nos **disputes**, je voudrais qu'on essaie de **se réconcilier**.

LUI : Ça tombe mal, je viens d'apprendre que tu me **trompais** avec Thomas et pour moi, la seule solution est la **rupture**, la **séparation** ! Je veux **te quitter**, tu comprends ? Je demande le **divorce** !

ELLE : Tu veux **divorcer** ? Tu n'es pas sérieux ? J'ai eu cette petite **aventure sans lendemain** (= une liaison de courte durée) parce que nous **traversions une crise**, mais je n'ai pas du tout envie que **nous nous quittions**, toi et moi. Et puis d'ailleurs, comment as-tu appris ma **liaison** avec Thomas ?

LUI : C'est lui-même qui m'a parlé ce matin de **vos projets d'avenir**.

ELLE : Quel menteur ! Je lui ai dit hier que **c'était terminé entre nous** ! Je le **déteste** ! Je le **hais** ! Mais toi et moi, ne pouvons-nous pas **recommencer à zéro** ?

LUI : Je te propose qu'on **se sépare** provisoirement, et puis on verra.

• Kevin et Elvire ont fini par **divorcer** car après Thomas, il y a eu Mathias, Hervé et d'autres. Elvire est maintenant l'**ex-femme** de Kevin, et Kevin son **ex-mari**.

• Kevin voulait **avoir la garde de leur fille** Léa (il voulait que Léa vive avec lui). Mais Elvire a obtenu qu'ils aient **la garde partagée** (Léa vit à moitié chez son père, à moitié chez sa mère).

• Kevin **s'est remarié**. Léa a maintenant une **belle-mère**, une **demi-sœur** et un **demi-frère**.

1 Éliminez l'intrus.

1. on s'aime / on s'entend bien / on entend bien / on est amoureux

2. la séparation / l'entente / la dispute / la rupture

3. mon copain / mon mari / mon conjoint / mon époux

4. divorce / garde partagée / mari / ex-mari

5. le ménage / la scène de ménage / la dispute / le conflit

6. la réconciliation / la passion / le coup de foudre / la déclaration d'amour

2 Choisissez pour chaque question les deux réponses possibles.

1. **Est-ce que tu es d'accord pour divorcer ?**

   a. ☐ Si tu me laisses la garde des enfants, c'est d'accord.

   b. ☐ Non, je refuse de divorcer.

   c. ☐ Oui, d'accord, car on s'entend très bien.

2. **Est-ce que tu veux m'épouser ?**

   a. ☐ Oui, d'accord, je préfère vivre seule.

   b. ☐ J'attendais cette question depuis si longtemps !

   c. ☐ Je préférerais le Pacs au mariage, c'est plus simple, qu'en penses-tu ?

3. **Est-ce que vous vous entendez bien ?**

   a. ☐ On ne s'entend pas du tout, on se dispute sans cesse, je crois qu'on va se séparer.

   b. ☐ Oui, absolument, mon mari me trompe régulièrement.

   c. ☐ Depuis le coup de foudre de la rencontre, nous vivons une passion.

3 À l'aide des indications suivantes, racontez la vie sentimentale de Gaspard entre 1996 et 2011. Faites des phrases complètes.

1996 – Rencontre Gaspard-Margot, coup de foudre

1998 – Vie en concubinage, passion

2001 – Mariage à l'église

2006 – Début des scènes de ménage

2008 – Rencontre Gaspard-Solène, grande crise entre Gaspard et Margot

2009 – Divorce Gaspard-Margot, relation amoureuse Gaspard-Solène

2010 – Disputes entre Gaspard et Solène

2011 – Départ de Solène, rupture, solitude de Gaspard

LES JOIES ET LES PEINES

■ Les émotions

rire → le rire	≠	pleurer → les larmes
éclater de rire	≠	fondre en larmes, éclater en sanglots
rire aux éclats, mourir de rire	≠	pleurer à chaudes larmes
éprouver de la joie	≠	éprouver de la tristesse, avoir du chagrin, de la peine
réjouir (« *Cela me réjouit !* »)	≠	attrister, chagriner (« *Cela m'attriste beaucoup.* »)
se réjouir, être gai	≠	être triste
être, se sentir heureux → le bonheur	≠	être, se sentir malheureux → le malheur

Remarque. Les larmes ne traduisent pas toujours la tristesse : on pleure parfois de joie ou de rire → **rire aux larmes**.
Quelques expressions :
• **avoir les larmes aux yeux** = être à la limite de pleurer.
• **avoir le fou rire** = rire à ne plus pouvoir s'arrêter.
• **c'est pour rire** : ce n'est pas sérieux.

■ La mort

• Annette, la mère de Sylvie vient de **mourir**. Elle **est décédée** hier matin. Sylvie vient de **perdre** sa mère. Elle annonce la triste nouvelle du **décès** de sa mère à ses meilleurs amis. Son père essaie de ne pas **s'effondrer**, il n'est pas complètement **abattu** (il fait des efforts pour réagir). Il **fait preuve d'un grand courage**. Les amis veulent savoir quand aura lieu **l'enterrement** (= les **obsèques**), quand la famille va **enterrer** Annette. Sylvie explique que sa mère ne sera pas enterrée, mais **incinérée**. La **crémation** (= cérémonie **d'incinération**) aura lieu mardi après-midi. Le **crématorium** (où on incinère les morts) se trouve à l'entrée du **cimetière** (où on les enterre).
Expression : **faire une tête d'enterrement** = avoir l'air très triste

• Quand on perd un ami ou un parent proche, on est **en deuil**.
Un enfant qui a perdu ses parents est **orphelin(e)**. Une femme qui a perdu son mari est **veuve**. Un homme qui a perdu sa femme est **veuf**.
Lors de l'enterrement, on dépose généralement des **gerbes**, des **couronnes** ou de simples bouquets de fleurs sur la **tombe** du mort, au cimetière.

1 Associez une phrase de gauche à une, deux ou trois phrases de droite.

a. Ils ont les larmes aux yeux.

1. Ali et Nadia ont perdu leur grand-père ce matin.

b. Ils sont très heureux.

2. Pavel a raconté une histoire drôle à Christian.

c. Ils ont beaucoup de chagrin.

3. Le grand-père décédé adorait les fleurs.

d. Ils pleurent à chaudes larmes.

4. Les enfants sont tombés et se sont fait très mal.

e. Ils se réjouissent de leur bonheur.

5. Ce film est très émouvant. La fin est triste.

f. Ils ont le fou rire.

6. Luigi et Chiara sont en voyage de noces à Paris.

g. Ils ont déposé une gerbe sur sa tombe.

h. Ils sont morts de rire.

2 Quelle est la situation familiale de ces personnes ?

1. Éric a été marié pendant sept ans avec une violoniste qui l'a quitté pour se remarier avec son chef d'orchestre. Maintenant, Éric est _____ .

2. Claire vit depuis longtemps avec Michel, mais elle refuse de se marier. Elle est _____.

3. Hélène aurait bien aimé épouser son amie Liliane, mais les couples homosexuels ne sont pas autorisés à se marier. Hélène et Liliane sont maintenant _____.

4. Julien rentre tout juste d'Amérique du Sud où il était en voyage de noces. Il est _____.

5. Jean s'est marié très jeune avec Marie. Ils ont d'abord eu Fabrice, puis Marie est morte à la naissance de leur deuxième enfant. Jean est _____.

6. Laurent a un rêve : se marier et avoir beaucoup d'enfants. Mais le problème est qu'il ne trouve pas la femme de sa vie. Il est toujours _____.

3 Remplacez les expressions soulignées par des expressions synonymes.

1. J'ai appris la mort de mon oncle alors que j'étais à l'étranger. Je n'ai pas pu assister aux obsèques. Mon cousin m'a raconté que ma tante était complètement effondrée.

2. Hier, je suis allée voir une comédie américaine avec une copine : on a pleuré de rire pendant deux heures.

3. J'ai vu Denis avant-hier : je ne sais pas ce qui s'était passé, mais il avait l'air triste !

4. Depuis leur séparation, Laura est assez déprimée : elle éclate en sanglots à tout moment. Elle espérait secrètement que Gilles et elle pourraient recommencer à zéro, mais elle vient d'apprendre que Gilles avait commencé une nouvelle liaison.

LES SENTIMENTS

■ Éprouver un sentiment

• Jean **éprouve** de la **tendresse**, **a** une grande **affection** pour sa fille. Et sa fille **le lui rend bien** : elle est également très **tendre** et **affectueuse** avec lui.

• Jean est très **fier de** sa fille car elle est devenue une grande avocate.

• Claire et son collègue Gianni **ont sympathisé** tout de suite. Ils ne sont pas encore amis, mais elle **a de la sympathie pour lui**, elle **le trouve sympathique**.

• En revanche, sa collègue Frédérique **lui est** très **antipathique**. Elle ne lui **inspire** pas vraiment de **la haine** (elle ne la **hait** pas vraiment) mais du **mépris** : Claire la **méprise**. Elle la trouve bête et méchante. L'autre jour, Claire était très **en colère contre** Frédérique car elle est arrivée en retard à une réunion importante sans même s'excuser. Claire ne peut pas **lui faire confiance**.

• Mathias, lui, est amoureux de Claire, mais Claire ne **partage** pas **ses sentiments**. Elle **ressent** beaucoup d'**amitié pour** Mathias (elle aime discuter, aller au cinéma ou au restaurant avec lui ; ils se voient souvent) mais Mathias ne lui **inspire** aucun **sentiment amoureux** (elle n'**est** pas **attirée** par lui, il ne l'**attire** pas).

• Déborah **plaît** beaucoup **à** Bernard (il la trouve très sympa et très **attirante**), mais elle n'éprouve pour lui que de l'**indifférence** (elle n'a pour lui aucun sentiment).

• Valérie a écrit deux livres en un an : je l'**admire**, j'ai de l'**admiration** pour elle, je suis **admiratif (-ive)**. Je l'**estime** beaucoup, j'ai une grande **estime** pour son travail.

• Véra n'a que des malheurs en ce moment et, malheureusement, son mari ne lui **manifeste** aucun **soutien**. Je la **plains** beaucoup. Elle est venue chercher un peu de **compassion** auprès de nous.

• Cette vieille femme malade n'a personne pour l'aider : elle **me fait** vraiment **pitié**.

■ Pour soi ou pour les autres

• J'ai réussi mes examens : je suis content(e), heureux (-euse).
Mes amis ont réussi leurs examens : je suis **content(e), heureux (-euse) pour eux**.

• J'ai raté mes examens. Quelle **déception** ! Je suis **déçu(e)**.
Mon amie Juliette a raté ses examens : je suis **déçu(e) pour elle**.

• Tu pars en voyage en Thaïlande : je **me réjouis pour toi**.

• Jules s'est mis à rire pendant l'enterrement de Robert : j'avais **honte pour lui**.

1   **Identifiez le sentiment qu'exprime chacune des phrases suivantes.**

1. La semaine dernière, le professeur d'anglais a demandé aux étudiants de lui rendre un devoir mais il n'est pas content du tout car la moitié des étudiants n'a pas fait le travail.

2. C'est vraiment un excellent journaliste : il s'exprime très bien, il a un sens de l'analyse remarquable, il sait diriger un débat, et en plus, il a de l'esprit et de l'humour.

3. Joséphine m'avait dit le plus grand bien de ce film, mais moi, je ne l'ai pas aimé du tout.

4. La pauvre ! Elle perd son travail au moment où son mari tombe malade !

5. Le prof de littérature a confondu le titre d'une œuvre littéraire avec une marque de vêtements ! Quand une élève le lui a fait remarquer, il est devenu tout rouge !

6. Monsieur Déclini est tout sauf un ami. C'est un homme fondamentalement désagréable.

7. Tu sais que mon fils est devenu un grand pianiste et qu'il donne des concerts dans le monde entier ?

2   **Complétez par un verbe approprié (plusieurs solutions sont parfois possibles).**

1. Visiblement, Félix est amoureux de ta cousine. Penses-tu qu'elle _____ ses sentiments ?

2. Tu connais la nouvelle femme de Pierre ? Moi, je la _____ très sympa.

3. Je _____ de la tendresse pour cet homme et je crois qu'il me le _____ bien.

4. Penses-tu que je puisse _____ confiance à Thierry pour organiser cette réunion importante avec les clients ?

5. À notre mariage, les amis nous ont _____ toute leur amitié et leur affection.

6. – Je trouve que tu t'intéresses beaucoup à ta voisine…

   – Pas du tout, elle ne m'_____ que de l'indifférence.

   – Tu ne _____ même pas un peu d'amitié pour elle ?

7. C'est très rare que je _____ vraiment de la haine. Seuls, les dictateurs qui emprisonnent et torturent leurs opposants politiques m'_____ un tel sentiment.

8. Hier, à la piscine, un homme a perdu son maillot de bain en plongeant. Il était nu dans la piscine !

   Il _____ honte !

3   **À vous ! Racontez un scénario mélodramatique : une histoire d'amour, de mort, de haine…**
   Vous pouvez l'inventer ou vous inspirer d'un film, d'un roman ou d'une histoire vraie.

_____

_____

_____

_____

_____

_____

_____

_____

4 LE CARACTÈRE – LA PERSONNALITÉ

LES FORMULES ESSENTIELLES

• **être + adjectif qualificatif**

Ronan est **assez** sympa, **plutôt** nerveux, et il n'est **absolument pas** intelligent !
Léo est distrait **comme tout*** (= vraiment très distrait).

• **être d'un(e) + nom (et parfois adjectif)**

Sylvain est d'une bêtise ! Luc est d'une méchanceté extraordinaire ! Benoît est
d'une grande timidité.

• **c'est quelqu'un de + adjectif qualificatif**

Attention à cette structure idiomatique, où l'adjectif est accordé au masculin.
Tu connais Michèle ? C'est quelqu'un de **vraiment** généreux et compétent.

• **avoir + nom**

Christine a de la patience et de la persévérance. Dominique a une forte
personnalité. Adrienne a bon (≠ mauvais) caractère et elle a le sens de l'humour.

• **manquer de + nom** (sans article)

Sylvie manque de courage (= elle n'est pas très courageuse). Victor
ne manque pas d'intelligence (= il est intelligent).

■ La forme négative

Les Français emploient très souvent la forme négative. Cela permet des
nuances intéressantes, en particulier pour décrire une personnalité.
Laurent **n'est pas prudent du tout** (= il est très imprudent). Ariel ne manque
pas de générosité (= il est généreux).
Observez :
Il est antipathique > il n'est pas sympathique du tout > il n'est pas
antipathique = il est assez sympathique < il est sympathique < il est vraiment /
très sympathique.

■ Les termes emphatiques

Ils sont caractéristiques de la langue orale et familière. Ils peuvent être
positifs ou négatifs, mais ils sont toujours vagues, imprécis.
Renaud est… merveilleux, exceptionnel, fantastique, extraordinaire,
formidable… Il est chouette*, super*, génial*, très cool*…
Marcel est horrible, affreux, détestable, odieux…

Remarque. Pour ces adjectifs emphatiques, on ne dit pas : « il est ~~très~~ merveilleux / horrible »,
mais « il est **vraiment** merveilleux / horrible »…

1 Choisissez la bonne réponse.

1. Gaston est | de patient | patient | patience |.

2. Elles ont | du bon caractère | le bon caractère | bon caractère |.

3. Florence est | merveille | merveilleuse | de merveilleux |.

4. Jeanne est quelqu'un | d'intelligent | intelligente | intelligence |.

5. Patrice manque | la douceur | douceur | de douceur |.

6. Quentin n'a pas | de l'humour | le sens de l'humour | humour |.

2 Placez dans le tableau les expressions ci-dessous.

Il est fantastique / elle est d'une méchanceté incroyable / elle a bon caractère / ils manquent de patience / elle est vraiment chouette / il n'est pas gentil du tout / il est vraiment antipathique / elle est assez cultivée / c'est quelqu'un de paresseux / ils sont aimables / c'est quelqu'un de très dur / il est très intelligent / il est absolument odieux / elle n'est pas très généreuse / elle ne manque pas d'autorité / elle est super

très négatif	négatif	positif	très positif

3 Associez les phrases de sens équivalent.

1. Il ne manque pas de courage.

2. Il manque de courage.

3. Il n'est pas méchant.

4. Il manque de gentillesse.

5. Il est d'une gentillesse !

a. Il n'est pas gentil.

b. Il n'est pas courageux.

c. Il a du courage.

d. Il est vraiment gentil.

e. Il est assez gentil.

4 Vrai ou faux ?

	VRAI	FAUX
1. Elle manque de patience = elle est plutôt impatiente.	☐	☐
2. Ils ont bon caractère = ils ont une forte personnalité.	☐	☐
3. Elle n'est pas honnête du tout = elle est d'une honnêteté !	☐	☐
4. C'est quelqu'un de nerveux = il manque vraiment de calme.	☐	☐
5. Il est super = il est merveilleux !	☐	☐
6. Elle n'a pas le sens de l'humour = elle manque vraiment d'humour.	☐	☐
7. Ils ne manquent pas de générosité = ils sont plutôt généreux.	☐	☐

QUELQUES TRAITS DE CARACTÈRE

Pour décrire **les traits de caractère**, les **qualités** et les **défauts** humains, on peut employer des adjectifs et des noms *(voir page précédente)* ou utiliser une phrase descriptive.

• Blaise est chef de produit dans une grande entreprise. Il a **le sens du contact humain** et **aime travailler en équipe**. Il est, bien sûr, **dynamique** (≠ **mou**), **travailleur** (≠ **paresseux**) **et bien organisé**. Comme il sait écouter et parler, il est **convaincant** et **a le sens de la négociation**. Il est **ambitieux** et fait son possible pour obtenir une promotion.

Remarque. Le terme « ambitieux » est délicat à utiliser. Il peut être positif, surtout quand on parle d'un « projet ambitieux ». Mais l'adjectif est souvent négatif : « Paul est ambitieux » signifie : « il est dur, prêt à tout pour sa carrière… »

• Renaud est comptable, il aime donc les chiffres. Il travaille **avec méthode et rigueur**, il est **méthodique et rigoureux**. **Le calme** constitue sa grande qualité, car dans ce métier, on ne doit pas être **nerveux** ni **impulsif**. **L'honnêteté** (≠ **malhonnêteté**), intellectuelle et financière, est évidemment indispensable !

• Adèle est institutrice. Elle **adore le contact avec** les enfants, elle est **douce** et **d'une grande patience**. Elle **a de l'autorité sans être autoritaire**. Souvent, elle est **drôle**, elle fait rire les enfants. De plus, elle est **expressive** : on lit les émotions sur son visage.

Remarque. « Avoir de l'autorité » est positif. « Être autoritaire » est négatif.

• Bénédicte est couturière dans une célèbre maison de couture. Très **équilibrée**, elle reste toujours **calme**, même dans les moments de stress. Bien sûr, elle **est d'une adresse exceptionnelle**, elle est **très adroite** (≠ **maladroite**) de ses mains. Elle travaille avec **précision** et **attention**. Elle **met beaucoup de soin dans** son travail : elle est très **soigneuse**.

• Laurent est reporter pour un grand journal. Il aime l'aventure et les voyages, et il doit **faire preuve de courage**, quand les situations sont tragiques. Il est **persévérant** : avec patience, il obtient les informations qu'il recherche. Il a une grande **ouverture d'esprit**, il est très **ouvert**. **Sa curiosité d'esprit** va parfois jusqu'à **l'indiscrétion** (≠ **la discrétion**) : il questionne sans arrêt. Il ne reste pas **superficiel** (≠ **profond**) dans ses analyses.

• Marc est un dessinateur et illustrateur **de talent**. Il **a beaucoup d'imagination** et de **fantaisie**, il est très **créatif**. Bien sûr, il a **le sens de l'humour**, car ses dessins sont souvent amusants. Son travail lui permet une grande **liberté d'esprit**. Heureusement, car il est très **indépendant** !

QUELQUES COMPARAISONS IMAGÉES

Gilles est **bon comme le pain**. Casimir n'est pas drôle, il est **sérieux comme un pape**. Luc est **ennuyeux comme la pluie** et **bête comme ses pieds** ! Rose est **bavarde comme une pie** !

E X E R C I C E S

1 Complétez par l'adjectif approprié.

1. Clément met beaucoup de soin dans son travail, il est _____.

2. Isabelle montre son ambition, elle est _____.

3. Louis fait preuve de rigueur, il est _____.

4. Sabine n'est pas profonde, elle est _____.

5. Nadège n'est pas paresseuse, elle est _____.

6. Grégoire ne manque pas de douceur, il est _____.

7. Clotilde a de l'autorité, mais elle n'est pas _____.

8. Bertrand n'est pas dynamique, il est _____.

2 Éliminez l'intrus.

1. Il n'est pas sérieux du tout. / Il est sérieux comme un pape. / Il est d'un sérieux !

2. Elle est bête comme ses pieds. / Elle n'est pas bête du tout. / Elle ne manque pas d'intelligence.

3. Il n'est vraiment pas intéressant. / Il est ennuyeux comme la pluie. / Il est très intéressant.

4. C'est quelqu'un de très bon. / Il manque de bonté. / Il est bon comme le pain.

5. Elle n'est pas bavarde. / Elle est bavarde comme tout. / Elle est bavarde comme une pie.

3 Quels traits de caractère doit avoir...

1. un médecin ? _____.

2. un moniteur de ski ? _____.

3. un chef d'entreprise ? _____.

4. un détective ? _____.

5. un électricien ? _____.

6. un guide touristique ? _____.

7. un diplomate ? _____.

4 Faites votre portrait psychologique. Variez les structures (noms, adjectifs, forme négative...).

5 Décrivez le caractère d'une personne qui vous est proche et que vous aimez beaucoup.

6 À vous ! Répondez librement aux questions.

1. Existe-t-il des traits de caractère que vous ne supportez pas du tout ? Lesquels ? Pourquoi ?

2. Certaines qualités humaines sont-elles nécessaires à la communication ? Lesquelles ? Pourquoi ?

3. Considérez-vous l'ambition comme un trait plutôt positif ? Pourquoi ?

4. Existe-t-il des qualités que vous aimeriez avoir ? Lesquelles ? Pourquoi ?

5 LE TEMPS QUI PASSE

Il y a	60 secondes dans une minute	28, 29, 30 ou 31 jours dans un mois
	60 minutes dans une heure	52 semaines dans une année
	24 heures dans une journée	100 ans dans un siècle
	7 jours dans une semaine	1 000 ans dans un millénaire.

LA SEMAINE

• Mon appartement se transforme en hôtel ! **Aujourd'hui, nous sommes le** 10.
Ève est arrivée mercredi **dernier**, le 2. Elle
m'avait téléphoné **la veille** (le 1ᵉʳ). Comme elle
est repartie **hier soir** (le 9), elle ne verra pas
Maxime, qui sera chez moi **demain matin**
(le 11). Gaëlle arrivera **la semaine prochaine**,
mardi **prochain** (le 15). Les deux repartiront
le lendemain après-midi (le 16).

L	M	M	J	V	S	D
	1	2	3	4	5	6
7	8	9	10	11	12	13
14	15	16	17	18	19	20
21	22	23	24	25	26	27
28	29	30				

• Dans **8 jours** (le 17), ma sœur, qui prend un
cours **le** jeudi (= **tous les** jeudis) viendra aussi, mais dans **15 jours**
(le 24, qui est un jour **férié**), c'est moi qui **ferai le pont** : je ne travaillerai pas
vendredi et je serai absent de jeudi à dimanche.

Remarque. Les Français disent « huit jours » pour « une semaine » et « quinze jours » pour « deux
semaines » ! « Je pars en vacances pendant huit jours. » « Il reviendra dans quinze jours. »

• En France, des jours fériés correspondent à **une fête religieuse catholique** :
Pâques et le lundi de Pâques, Noël (le 25 décembre), **l'Ascension**, **la Pentecôte**,
l'Assomption (le 15 août), **la Toussaint** (le 1ᵉʳ novembre). Des jours importants
du point de vue historique ou symbolique sont aussi fériés : le 1ᵉʳ janvier, 1ᵉʳ mai
(la fête du travail), le 8 mai (fin de la Seconde Guerre mondiale), le 14 juillet
(la fête **nationale**), le 11 novembre (fin de la Première Guerre mondiale).

QUEL JOUR SOMMES-NOUS ?

• **On est quel jour, aujourd'hui ?** *(familier)*
– On est vendredi.

• O**n est le combien ?** *(familier)* **Nous sommes le combien ?**
– On est le 14. Nous sommes le 14.

• Le 1ᵉʳ mai **tombe quel jour**, cette année ?
– Le 1ᵉʳ mai **tombe un** jeudi. Tu feras le pont ?

• **C'est quand,** ton anniversaire ? *(familier)*
– C'est le 28 septembre.

• Le mariage d'Anaïs, **c'est le combien ?** *(familier)*
– C'est le 1ᵉʳ juin.

E X E R C I C E S

1 **Complétez les phrases et répondez-y librement. Attention au temps des verbes.**

1. On _____ quel jour, aujourd'hui ?

– _____

3. Le Premier de l'an _____ quel jour, cette année ?

– _____

2. On _____ le combien, mardi prochain ?

– _____

4. _____, votre anniversaire ?

– _____

2 **Devinez de quel jour on parle.**

1. C'est au printemps. C'est un dimanche, mais le lendemain est aussi un jour férié. On offre des œufs en chocolat. C'est

_____

2. C'est aussi au printemps. C'est un jour férié, donc on ne travaille pas.
Et pourtant, le nom de la fête est

_____ et

la date en est _____.

3. C'est en été, au milieu d'un mois.
Il y a partout des bals et des feux d'artifice, car c'est la fête nationale. C'est

_____

4. C'est en hiver. On s'offre des cadeaux.
Dans beaucoup de pays, le lendemain est férié, mais pas en France. C'est

_____

5. C'est aussi en hiver. La veille au soir, on dîne très tard, et, quand minuit sonne, on se souhaite « bonne année ». C'est

_____

6. C'est en automne. Ce jour férié n'est pas une fête religieuse, mais un jour historique.
C'est _____

JANVIER	FÉVRIER	MARS	AVRIL	MAI	JUIN
7 h 46 à 16 h 03	7 h 23 à 16 h 46	6 h 35 à 17 h 32	5 h 31 à 18 h 19	4 h 33 à 19 h 04	3 h 54 à 19 h 44
1 L JOUR DE L'AN	1 J Ste Ella	1 J St Aubin	1 D RAMEAUX	1 M FÊTE DU TRAVAIL	1 V St Justin
2 M St Basile	2 V Prés. du Seigneur	2 V St Charles le Bon	2 L Ste Sandrine	2 M St Boris	2 S Ste Blandine
3 M Ste Geneviève	3 S St Blaise	3 S St Guénolé	3 M St Richard	3 J Ste Philippe, Jacques	3 D Trinité - F. des Mères
4 J St Odilon	4 D Ste Véronique	4 D St Casimir	4 M St Isidore	4 V St Sylvain	4 L Ste Clotilde
5 V St Edouard	5 L Ste Agathe	5 L Ste Olivia	5 J Ste Irène	5 S Ste Judith	5 M St Igor
6 S Ste Mélaine	6 M St Gaston	6 M Ste Colette	6 V St Marcellin	6 D Ste Prudence	6 M St Norbert
7 D Épiphanie	7 M Ste Eugénie	7 M Ste Félicité	7 S St J.-B. de la Salle	7 L Ste Gisèle	7 J St Gilbert
8 L St Lucien	8 J Ste Jacqueline	8 J St Jean de Dieu	8 D PÂQUES	8 M VICTOIRE 1945	8 V St Médard
9 M Ste Alix	9 V Ste Apolline	9 V Ste Françoise R.	9 L St Gautier	9 M St Pacôme	9 S Ste Diane
10 M St Guillaume	10 S St Arnaud	10 S St Vivien	10 M St Fulbert	10 J Ste Solange	10 D Fête-Dieu
11 J St Paulin	11 D N.-D. de Lourdes	11 D Ste Rosine	11 M St Stanislas	11 V Ste Estelle	11 L St Barnabé
12 V Ste Tatiana	12 L St Félix	12 L Ste Justine	12 J St Jules	12 S St Achille	12 M St Guy
13 S Ste Yvette	13 M Ste Béatrice	13 M St Rodrigue	13 V Ste Ida	13 D Fête Jeanne d'Arc	13 M St A. de Padoue
14 D Ste Nina	14 M St Valentin	14 M Ste Mathilde	14 S St Maxime	14 L St Matthias	14 J St Elisée
15 L St Remi	15 J St Claude	15 J Mi-Carême	15 D St Paterne	15 M Ste Denise	15 V Ste Germaine
16 M St Marcel	16 V Ste Julienne	16 V Ste Bénédicte	16 L St Benoît-Joseph	16 M St Honoré	16 S St J.-F. Régis
17 M Ste Roseline	17 S St Alexis	17 S St Patrice	17 M St Anicet	17 J ASCENSION	17 D Fête des Pères
18 J Ste Prisca	18 D Ste Bernadette	18 D St Cyrille	18 M St Parfait	18 V St Eric	18 L Ste Léonce
19 V St Marius	19 L St Gabin	19 L St Joseph	19 J Ste Emma	19 S St Yves	19 M St Romuald
20 S St Sébastien	20 M Mardi-Gras	20 M St Herbert	20 V St Odette	20 D St Bernardin	20 M St Silvère
21 D Ste Agnès	21 M Cendres	21 M PRINTEMPS	21 S St Anselme	21 L St Constantin	21 J ETE
22 L St Vincent	22 J Ste Isabelle	22 J Ste Léa	22 D St Alexandre	22 M St Emile	22 V St Alban
23 M St Barnard	23 V Ste Lazare	23 V St Victorien	23 L St Georges	23 M St Didier	23 S Ste Audrey
24 M St Fr. de Sales	24 S St Modeste	24 S Ste Cath. de Suède	24 M St Fidèle	24 J St Donatien	24 D St J.-Baptiste
25 J Conv. de St Paul	25 D 1er de Carême	25 D St Humbert	25 M St Marc	25 V Ste Sophie	25 L Ste Eléonore
26 V Ste Paule	26 L St Nestor	26 L Annonciation	26 J Ste Alida	26 S St Bérenger	26 M St Anthelme
27 S Ste Angèle	27 M Ste Honorine	27 M St Habib	27 V Ste Zita	27 D PENTECÔTE	27 M St Fernand
28 D St Thomas d'Aquin	28 M St Romain	28 M St Contran	28 S Ste Valérie	28 L St Germain	28 J Ste Irénée
29 L St Gildas		29 J Ste Gwladys	29 D Souv. Déportés	29 M St Aymar	29 V Sts Pierre, Paul
30 M Ste Martine		30 V St Amédée	30 L St Robert	30 M St Ferdinand	30 S St Martial
31 M Ste Marcelle	A.F.A. Paris	31 S St Benjamin		31 J Visitation	

JUILLET	AOÛT	SEPTEMBRE	OCTOBRE	NOVEMBRE	DÉCEMBRE
3 h 53 à 19 h 56	4 h 25 à 19 h 26	5 h 08 à 18 h 32	5 h 51 à 17 h 29	6 h 38 à 16 h 30	7 h 24 à 15 h 55
1 D St Thierry	1 M St Alphonse	1 S St Gilles	1 S Ste Thérèse de l'E.-J.	1 J TOUSSAINT	1 S Ste Florence
2 L St Martinien	2 J St Julien Eymard	2 D Ste Ingrid	2 D St Léger	2 V Défunts	2 D Avent
3 M St Thomas	3 V Ste Lydie	3 L St Grégoire	3 L St Gérard	3 S St Hubert	3 L St Xavier
4 M St Florent	4 S St J.-M. Vianney	4 M Ste Rosalie	4 M St Fr. d'Assise	4 D St Charles	4 M Ste Barbara
5 J St Antoine	5 D St Abel	5 M Ste Raïssa	5 M Ste Fleur	5 L Ste Sylvie	5 M St Gérald
6 V St Mariette	6 L Transfiguration	6 J St Bertrand	6 J St Bruno	6 M Ste Léonard	6 J St Nicolas
7 S St Raoul	7 M St Gaëtan	7 V Ste Reine	7 V St Serge	7 M Ste Carine	7 V St Ambroise
8 D St Thibaut	8 M St Dominique	8 S Nativité N.-D.	8 S Ste Pélagie	8 J Ste Geoffroy	8 S Immac. Conception
9 L Ste Amandine	9 J St Amour	9 D St Alain	9 D St Denis	9 V St Théodore	9 D St Pierre Fourier
10 M St Ulrich	10 V St Laurent	10 L Ste Inès	10 L St Ghislain	10 S St Léon	10 L St Romaric
11 M St Benoît	11 S Ste Claire	11 M St Adelphe	11 M St Firmin	11 D ARMISTICE 1918	11 M St Daniel
12 J St Olivier	12 D Ste Clarisse	12 M St Apollinaire	12 M St Wilfried	12 L St Christian	12 M Ste J.-F. Chantal
13 V Sts Henri, Joël	13 L St Hippolyte	13 J St Aimé	13 J St Géraud	13 M St Brice	13 J Ste Lucie
14 S FÊTE NATIONALE	14 M St Evrard	14 V Croix Glorieuse	14 V St Juste	14 M St Sidoine	14 V Ste Odile
15 D St Donald	15 M ASSOMPTION	15 S St Roland	15 S Ste Thérèse d'A.	15 J St Albert	15 S Ste Ninon
16 L N.-D. Mont-Carmel	16 J St Armel	16 D Ste Edith	16 D Ste Edwige	16 V Ste Marguerite	16 D Ste Alice
17 M Ste Charlotte	17 V St Hyacinthe	17 L St Renaud	17 L St Baudouin	17 S Ste Elisabeth	17 L St Judicaël, Gaël
18 M St Frédéric	18 S Ste Hélène	18 M Ste Nadège	18 M St Luc	18 D Ste Aude	18 M St Gatien
19 J St Arsène	19 D St Jean Eudes	19 M Ste Emilie	19 M St René	19 L St Tanguy	19 M St Urbain
20 V Ste Marina	20 L St Bernard	20 J St Davy	20 J Ste Adeline	20 M St Edmond	20 J St Théophile
21 S St Victor	21 M St Christophe	21 V St Matthieu	21 V Ste Céline	21 M Prés. de Marie	21 V St Pierre C.
22 D Ste Marie-Mad.	22 M St Fabrice	22 S St Maurice	22 S Ste Elodie	22 J Ste Cécile	22 S HIVER
23 L Ste Brigitte	23 J Ste Rose de Lima	23 D AUTOMNE	23 D St Jean de C.	23 V St Clément	23 D St Armand
24 M Ste Christine	24 V St Barthélemy	24 L Ste Thècle	24 L St Florentin	24 S Ste Flora	24 L Ste Adèle
25 M St Jacques	25 S St Louis	25 M St Hermann	25 M St Enguerran	25 D Christ Roi	25 M NOËL
26 J Ste Anne, Joachim	26 D Ste Natacha	26 M Sts Côme, Damien	26 M St Dimitri	26 L Ste Delphine	26 M St Etienne
27 V Ste Nathalie	27 L Ste Monique	27 J St Vincent de Paul	27 J Ste Emeline	27 M St Séverin	27 J St Jean
28 S St Samson	28 M St Augustin	28 V St Venceslas	28 V Sts Simon, Jude	28 M St Jacques de M.	28 V Sts Innocents
29 D Ste Marthe	29 M Ste Sabine	29 S St Michel	29 S St Narcisse	29 J St Saturnin	29 S St David
30 L Ste Juliette	30 J St Fiacre	30 D St Jérôme	30 D St Bienvenue	30 V St André	30 D Sainte Famille
31 M St ign. de Loyola	31 V St Aristide		31 M St Quentin	A.F.A. Paris	31 L St Sylvestre

3 **À vous ! Répondez librement aux questions.**

1. Nous sommes le combien, aujourd'hui ?

2. Votre anniversaire tombe quel jour, cette année ?

3. Combien de jours sont fériés dans votre pays ?

4. Ces jours fériés sont-ils religieux ou historiques ?

5. Quel est le jour de la fête nationale dans votre pays ?

6. Est-ce que vous faites parfois le pont ?

L'HEURE

■ Quelle heure est-il ? Il est quelle heure* ?

On peut répondre très précisément : « il est 14h50 », ou plus souvent : « il est trois heures moins dix ». Si la situation est claire, on peut aussi dire : « il est moins dix ».

- **Tu as / Vous avez l'heure ?**
– Oui, il est **midi**.

- • À quelle heure est ton train ?
– **À la demie*.**

- Quelle heure il est* ?
– Il est **moins vingt***.

- • Julie est arrivée à quelle heure ?
– À dix heures **pile*** (= **exactes**).

- **avancer ≠ retarder**

Il est dix heures. La pendule marque 10h10, elle **avance**. Si elle marque 9h50, elle **retarde**. Si elle marque 10 heures, elle est **à l'heure**.

■ Combien de temps ?

- Dans la vie courante, les Français emploient les expressions « **un quart d'heure** », « **une demi-heure** » et « **trois quarts d'heure** » plus souvent que « 15 minutes », « 30 minutes », « 45 minutes ».
Nous avons attendu le bus pendant **un quart d'heure**. Je suis resté **trois quarts d'heure** chez le dentiste. Elle sera là dans **une demi-heure**.

- La gare est ouverte **7 jours sur 7, 24 heures sur 24**.

- **Un moment** dure assez longtemps, mais l'expression est très vague. « Je suis resté **un bon moment** avec elle. » *(= 30 minutes ? Une après-midi ? On ne sait pas…)*

■ Midi

- L'expression « **à midi** » signifie…
– à 12 heures exactement : « mon train part à midi » ;
– à l'heure du déjeuner : « j'ai vu Vanessa à midi, nous avons déjeuné ensemble ».

- **Le Midi** (avec une majuscule) désigne le sud de la France : « Nicole a l'accent du Midi. » « Mes amis habitent dans le Midi / dans un petit village du midi de la France. »

LA LUMIÈRE DU JOUR

En été, **le jour se lève** à 6 heures.	≠	**La nuit tombe** à 9 heures.
Le soleil se lève.	≠	**Le soleil se couche.**
Il y a **un** beau **lever de soleil**.	≠	**Le coucher de soleil** est splendide.
Il fait jour / il fait **grand jour**.	≠	**Il fait nuit** / il fait **nuit noire**.

EXERCICES

1 Choisissez la bonne réponse.

1. Vous | avez | prenez | l'heure ?

2. Oui, | il y a | il est | minuit.

3. Le soleil | se réveille | se lève | à sept heures.

4. La nuit | se couche | tombe | tôt, en hiver !

5. C'est bien, il fait | grand jour | midi | !

6. Thomas est arrivé à | moins | plus | dix.

7. Hier soir, nous avons admiré un beau | lever | coucher | de soleil.

8. Mes amis sont originaires du | minuit | Midi |.

2 Associez une question à une réponse.

1. Vous avez l'heure ?   **a.** Non, il fait encore nuit.

2. Tu es resté combien de temps ?   **b.** À midi.

3. Elle vient de quelle région ?   **c.** Oui, 7 jours sur 7.

4. Il fait jour ?   **d.** Un bon moment !

5. C'est ouvert tous les jours ?   **e.** Oui, il est midi.

6. À quelle heure tu déjeunes ?   **f.** Non, elle avance.

7. Ta montre retarde ?   **g.** Du Midi.

3 Vrai ou faux ?

	VRAI	FAUX
1. Le train est arrivé à 14h30 = il est arrivé à deux heures et demie.	☐	☐
2. Ma pendule retarde = elle est à l'heure.	☐	☐
3. J'ai attendu trois quarts d'heure = j'ai attendu 35 minutes.	☐	☐
4. Il est midi, donc il fait nuit.	☐	☐
5. La nuit tombe le matin.	☐	☐
6. Le matin, le jour se lève.	☐	☐
7. Je suis parti très tôt ce matin, à midi.	☐	☐
8. Ce magasin est ouvert 7 jours sur 7 = tous les jours, sauf le dimanche.	☐	☐

4 À vous ! Répondez librement aux questions.

1. Vous avez l'heure ?

2. À quelle heure est-ce que vous vous êtes couché(e), hier soir ?

3. À quelle heure la nuit tombe-t-elle, en ce moment ?

4. Au moment où vous faites cet exercice, est-ce qu'il fait jour ?

5. Qu'est-ce que vous avez fait, hier, à midi ?

6. Dans votre pays, les magasins sont ouverts de quelle heure à quelle heure, en général ?

7. Est-ce que votre montre avance ?

L'ORGANISATION DE LA JOURNÉE

• Élodie et Basile ont des journées très différentes, « **c'est le jour et la nuit !** ».

• Basile est comédien. Il joue **tous les soirs**, mais quelquefois, il ne travaille pas trois jours **de suite / d'affilée** (= lundi, mardi, mercredi, par exemple).

• Deux **fois par** jour, il prend le métro pour aller au théâtre. **Le matin**, comme il n'est pas **matinal**, il se lève **tard**. **Il passe la matinée** au lit, il « **fait la grasse matinée** ». **Le soir**, il se couche tard. Il aime son travail et **un jour**, peut-être, il sera un acteur célèbre...

• Élodie est infirmière. Elle travaille **de jour** ou **de nuit**, cela dépend des semaines. **Du jour au lendemain** (= soudainement), elle peut changer d'**horaire**. Quand elle fait **la journée continue**, elle part de chez elle **en début de matinée** et revient **en fin d'après-midi**. Mais souvent, elle va à l'hôpital **en fin de journée** et elle y **passe la nuit**.

• **Ce soir**, Élodie et Basile organisent **une soirée** chez eux avec des amis. **En semaine** (≠ **le week-end**), c'est rare, parce que Élodie travaille **du matin au soir**, et même, parfois, **jour et nuit**. Ils passeront certainement une excellente soirée. Pas comme la dernière fois, où ils s'étaient disputés **toute la soirée**. Ils avaient passé **une très mauvaise soirée !**

Remarque. Le « soir » et la « nuit » se passent en même temps. Le « soir » ou la « soirée » désignent un moment public, où la vie sociale continue (« j'ai passé la soirée chez des amis » = j'ai dîné, puis je suis rentré chez moi). La « nuit », c'est le temps privé, où, en général, on dort (« j'ai passé la nuit chez des amis » = j'ai dormi chez eux).

MATINS ET MATINÉES

Certains mots ont deux formes.

Le jour, le matin, le soir, l'an	La journée, la matinée, la soirée, l'année
• Avec un nombre : Ils sont restés **trois jours** à Genève. J'ai vécu **dix ans** à Dakar.	• Pour insister sur la totalité du temps passé : **Toute la journée / toute l'année...** • Avec le verbe « passer » + à + infinitif : **J'ai passé la journée à** travailler !
• Pour saluer : Bonjour ! Bonsoir !	• Pour souhaiter : Bonne journée ! Bonne soirée ! **Je vous souhaite une bonne année !**

LA DATATION

• **De quand date** ce château ?   – Il **date du** XVIIᵉ **siècle**. Il a été construit **en** 1659.

• Le 14 juillet 1789 est **une date importante** dans l'histoire de France.

• Cette maison est **ancienne** ? – Non, elle est **récente**. Elle **est de** 2003.

• **Actuellement** = **en ce moment**, des travaux sont en cours.

E X E R C I C E S

1 Choisissez la ou les réponse(s) possible(s).

1. Il a dîné chez des amis, où il a passé une excellente | matinée | soirée | nuit |.

2. Nous avons rendez-vous à 9 heures, en début de | matin | journée | matinée |.

3. En | semaine | jour | week-end |, la rue est très animée, les magasins sont ouverts.

4. J'ai étudié du matin au | lendemain | jour | soir |.

5. Nous avons des réunions deux jours | d'affilée | de suite | au lendemain |.

6. Ils ont dû partir | de la journée | du jour | de la nuit | au lendemain.

7. Vous êtes restés dix | jours | ans | années | à Montréal ?

8. Mon fils organise une grande | nuit | soirée | année | demain, avec tous ses copains.

2 Complétez.

1. Hier, il _____ la journée à étudier !

2. Elle m'a téléphoné vers 18 h, en _____ de journée.

3. Ces deux quartiers sont très différents, c'est _____ et _____ !

4. En _____, elle se lève très tôt, mais _____ week-end, elle fait la _____ matinée.

5. Vous connaissez _____ des trains pour Lausanne ?

6. Ils ont travaillé quatre jours _____ sans s'arrêter !

7. J'ai rendez-vous chez le médecin à 8h30, en _____ de matinée.

8. Benjamin n'est pas _____, il déteste se lever tôt !

3 Vrai ou faux ?

	VRAI	FAUX
1. Il lit du matin au soir = il lit tout le temps.	☐	☐
2. Elle fait la journée continue = elle travaille le week-end.	☐	☐
3. Il a déménagé du jour au lendemain = il a déménagé en une journée.	☐	☐
4. Ils ont passé la soirée au bord de la mer = ils ont dormi sur la plage.	☐	☐
5. Tu as fait la grasse matinée ? = Tu as dormi sans faire sonner le réveil ?	☐	☐
6. Elle joue du piano tous les soirs = elle joue du piano la nuit.	☐	☐
7. Actuellement, il est en voyage = c'est vrai qu'il voyage.	☐	☐

4 À vous ! Répondez librement aux questions.

1. Est-ce que vous aimez faire la grasse matinée ? Pourquoi ?

2. Est-ce que vous sortez souvent, en semaine ?

3. À quoi est-ce que vous avez passé la journée, hier ?

4. De quand date le bâtiment où vous vous trouvez ? Est-il ancien ou récent ?

5. Est-ce que vous avez passé une bonne journée, hier ?

6. Quelle est votre occupation principale, actuellement ?

POUR PARLER DU TEMPS

• **prendre du temps / il faut du temps** (= *c'est le temps habituellement nécessaire*)
Il faut combien de temps pour aller de Paris à Bruxelles ?
– En TGV, **ça prend / il faut** 1h30 environ. Le voyage prend une heure et demie.

• **mettre du temps** (*c'est le temps que l'on a réellement passé*)
– Hier, il y avait de la neige sur les routes, **j'ai mis quatre heures pour** faire
50 kilomètres !

• **en avoir pour…** (*c'est le temps nécessaire pour faire quelque chose*)
– Pour finir ce travail, **tu en as pour combien de temps** ?
– **J'en ai pour cinq minutes !**

• **passer du temps (à faire quelque chose)**
Hier, j'**ai passé un quart d'heure à** bavarder avec ma voisine. Elle **a passé
trois ans** au Pérou.
« **Le temps passe vite** », dit le proverbe.

• **perdre du temps ≠ gagner du temps**
Il avait pris sa voiture **pour gagner du temps** (= *pour aller plus vite*), mais il a
été bloqué dans des embouteillages. Finalement, il **a perdu deux heures**, il **a
perdu son temps**, c'était **du temps perdu**.

• **avoir le temps ≠ être pressé**
Excuse-moi, **je n'ai pas le temps de** déjeuner avec toi aujourd'hui, je suis
pressé(e) !

• **prendre son temps ≠ se dépêcher**
En semaine, le matin, je **me dépêche**, mais le week-end, je **prends mon temps** !

• **avancer ≠ reporter = repousser = remettre à une autre date**… une réunion,
un rendez-vous
Nous avions une réunion mardi à 14 heures, mais Grégoire est malade. Nous
avons repoussé / remis / reporté la réunion à jeudi matin.

• **décommander** un rendez-vous = **annuler** une réunion, une réservation
Elle est malade, elle doit **décommander son rendez-vous** chez le coiffeur.
Ils ont dû **annuler la réunion**, car aucun participant n'a pu arriver à cause de
la neige !

• **arriver à temps ≠ rater quelque chose**
Sonia **est arrivée juste à temps** pour **attraper / avoir*** le train ! (*Le train était à
9 h, elle est arrivée à 8 h 59.*) Elle ne voulait pas **rater** son train, car elle avait
un rendez-vous très important.

• **il est temps que** (+ *subjonctif*) (= *c'est le moment de*)
Il est minuit, **il est temps que tu ailles te coucher** !

E X E R C I C E S

1 **Répondez par le contraire.**

1. En semaine, tu prends ton temps ? – Non, au contraire, _____

2. Tu as gagné du temps, en prenant ton vélo ? – Non, au contraire, _____

3. Vous avez le temps de répondre à mes questions ? – Non, au contraire, _____

4. La réunion a été avancée ? – Non, au contraire, _____

5. Vous en avez pour longtemps ? – Non, au contraire, _____

6. Elle a raté l'avion ? – Non, au contraire, _____

2 **Complétez par un verbe approprié. Plusieurs solutions sont parfois possibles.**

1. Ils _____ combien de temps à préparer le dîner ?

2. Le temps _____ vite !

3. Malheureusement, j'ai dû _____ mon rendez-vous avec Aude.

4. Il _____ combien de temps pour aller de Montréal à Québec, en voiture ?

5. Hier soir, nous _____ deux heures pour rentrer ! C'était pénible !

6. À cause des grèves, la réunion a été _____ à la semaine prochaine.

7. Vous en _____ pour combien de temps, pour réparer cet ordinateur ?

8. Il _____ temps que je réponde à mes mails.

3 **Décrivez ces deux personnages.**

1.

2.

4 **À vous ! Répondez librement aux questions.**

1. Combien de temps faut-il pour aller de chez vous à votre travail / université / école ?

2. Le matin, en général, vous vous dépêchez ?

3. Est-ce qu'il vous arrive de perdre du temps ? Comment ?

4. Est-ce que vous avez décommandé un rendez-vous, récemment ? Pourquoi ?

5. Pour faire cet exercice, vous en avez eu pour combien de temps ?

6 LA MÉTEO – LE CLIMAT

DÉCRIRE LE TEMPS QU'IL FAIT

Les Français parlent beaucoup du **temps qu'il fait** avec leurs voisins, leurs collègues, les commerçants, etc.

■ La lumière

Beau temps	**Mauvais temps**
Il fait beau, il fait soleil.	Il fait mauvais, il fait gris / nuageux.
Le temps est clair, il fait un soleil radieux.	La journée est pluvieuse, orageuse.
Le ciel est (complètement) dégagé.	Le ciel est couvert / chargé.
Il fait un temps splendide / magnifique / superbe.	Il fait un temps affreux / épouvantable / terrible.
Le temps est au beau fixe.	Le temps est changeant / incertain.
Le temps s'améliore : il va faire meilleur.	Le temps se dégrade.

■ La température

• Au Canada, les hivers peuvent être très **rigoureux / rudes**, il peut **faire très / extrêmement / horriblement froid**, il fait parfois **un froid de canard***.
La température peut **descendre / chuter jusqu'à – 30 °C** (moins trente degrés Celsius) = **– 22 °F** (moins vingt-deux degrés Fahrenheit).

• Dans le nord de la France, en été, **il** peut **faire chaud** dans la journée, mais le soir, **ça se rafraîchit, la température baisse**, il peut faire **frais**.

• Aujourd'hui, il fait (**très**) **doux**, (**très**) **bon** (= ni trop chaud ni trop froid). Il **fait une température très agréable, idéale, délicieuse**.

• En France, l'été 2003 a été marqué par **la canicule** : il a fait très / extrêmement / **terriblement chaud**. L'été a été **caniculaire. Il a fait une chaleur insupportable / torride**.

• **On annonce** pour lundi une (**forte**) **hausse** (≠ **baisse**) des températures : les températures **sont en hausse** (≠ **en baisse**), ça se réchauffe (≠ ça se rafraîchit, ça se refroidit) ; on va **gagner** 3° (≠ on va **perdre** 3°).

• Les températures sont **supérieures** (≠ **inférieures**) **aux normales saisonnières** (= **de saison**).

1 **Éliminez l'intrus.**

1. Ça se rafraîchit. / Les températures sont en hausse. / Ça se refroidit. / La température baisse.

2. Le ciel est chargé. / Le ciel est dégagé. / Il fait soleil. / Le temps est clair.

3. un hiver froid / un hiver rude / un hiver rigoureux / un hiver doux

4. canicule / chaleur torride / fraîcheur / 40 °C

2 **Vrai ou faux ?**

	VRAI	FAUX
1. Le temps est clair donc il va pleuvoir.	☐	☐
2. Le temps est changeant : un jour il fait beau et le lendemain il fait gris.	☐	☐
3. Le temps est au beau fixe : il fait beau depuis trois semaines et ça va durer.	☐	☐
4. Le temps se dégrade : il fera beau demain.	☐	☐
5. Le temps s'améliore : il fera beau demain.	☐	☐
6. Les températures sont en baisse : ça se réchauffe.	☐	☐
7. C'est la canicule : la température chute.	☐	☐
8. Il fait un soleil radieux : il fait un temps superbe.	☐	☐

3 **Dites le contraire.**

1. Les températures sont inférieures aux normales de saison. _____

2. Les températures sont en hausse. _____

3. L'hiver dernier a été doux. _____

4. Le ciel est couvert. _____

5. Il va faire un temps splendide. _____

6. Il fait un froid de canard. _____

7. Ça se réchauffe. _____

8. Le temps se dégrade. _____

4 **Complétez.**

1. – Bonjour Valérie, ça va ?

2. – Oh non, je trouve qu'il fait un _____ de canard !

3. – C'est vrai que ça s'est _____. On a _____ dix degrés en trois jours !

4. – Heureusement, on annonce une _____ des températures pour la semaine prochaine.

5. – Tant mieux parce que pour l'instant, elles sont nettement inférieures aux _____.

6. – Quand je pense à la _____ qu'il faisait il y a un mois !

7. – Tu as raison. C'était vraiment la _____ : chaleur torride et soleil.

■ Le vent

- Le temps est **calme** : **il n'y a pas un souffle de vent**.

- **On sent une petite brise**, **un vent très doux**.

- Lundi, le vent du nord **sera sensible** et **accentuera la sensation de froid**.

- Le temps est très **agité, il y a beaucoup de vent. Les rafales** (= les **coups de vent**, les **bourrasques**) peuvent **atteindre 80 km/h (kilomètres par heure)**.

- Le vent **s'est levé** ≠ le vent **est tombé**.

■ La pluie, la neige, l'humidité

- Il va **pleuvoir** toute la semaine. Nous aurons **un temps pluvieux, humide** (≠ **sec**). La météo (= les **prévisions météorologiques**) annonce **beaucoup d'humidité** : « **De fortes précipitations** (= pluies) **sont à prévoir** ».

- En revanche, on annonce **une** longue **sécheresse** (= absence prolongée de pluie) pour l'été prochain. Les agriculteurs sont inquiets.

- Hier, **il a plu un peu, il est tombé quelques gouttes**, mais rien de sérieux. Au contraire, pour demain, on **prévoit une pluie continue** (toute la journée).

- Dimanche, il a plu **à torrents, à verse** : nous avons eu **une pluie battante** (très forte) toute la journée.

- Au printemps, il y a souvent des **averses**, des **giboulées** (= de fortes pluies mais de courte durée) **entrecoupées d'éclaircies** (= de moments ensoleillés).

- Depuis trois jours, il y a **de la bruine** (= une petite pluie très fine).

- Je ne prends pas la voiture demain car on annonce beaucoup de **brouillard** (= un brouillard **épais**) : il paraît qu'on n'y verra rien, c'est très dangereux.
« Après **dissipation des brumes matinales** (= disparition d'un léger brouillard), **le soleil s'imposera.** »

- Lorsqu'il fait soleil juste après la pluie, on voit parfois **un arc-en-ciel** (de toutes les couleurs).

- Il **neige** un peu (= il **tombe quelques flocons**), mais **ça ne tiendra pas**.

- Il a beaucoup **neigé**, il y a eu **une tempête de neige, il est tombé cinquante centimètres de neige**, il y a des **congères** au bord des routes. Le **chasse-neige** va passer pour **dégager** les routes.

- Il va **geler** dans la nuit (il va faire − 10°) et il y a des **risques de verglas** sur les routes, ça va **glisser**. Même les trottoirs vont être **glissants**.

- Il fait froid ce matin, il y a du **givre** sur les vitres de la voiture.

E X E R C I C E S

1 **Associez.**

1. Est-ce que tu as entendu la météo ?

2. Je suis tombé sur le trottoir en allant au travail.

3. La météo prévoit pour demain de fortes précipitations dans toute la France.

4. On nous avait annoncé une pluie battante pour le week-end dernier.

5. Il y avait du brouillard, ce matin.

6. Elle aime les hivers froids et secs.

7. On a pu manger dehors entre deux averses.

a. En réalité, il n'est tombé que quelques gouttes dimanche.

b. On a eu la chance d'avoir une belle éclaircie durant le déjeuner.

c. Mais le soleil a fini par s'imposer.

d. Ça fera du bien, après deux mois de sécheresse.

e. Elle n'aime pas du tout l'humidité.

f. Oui, il va y avoir une tempête de neige.

g. Le trottoir était tout glissant, il a gelé pendant la nuit.

2 **Dites la même chose avec d'autres mots.**

1. On prévoit de fortes précipitations accompagnées de bourrasques de vent. _____

2. Hier, il a fait un temps magnifique, avec juste un petit vent très doux. _____

3. L'été dernier, la canicule a duré un mois et demi. _____

4. Demain, il pleuvra à verse, on annonce un temps très agité. _____

5. Le ciel a été chargé toute la semaine, mais il va faire meilleur la semaine prochaine. _____

6. Cette année, nous n'avons pas eu d'averses au printemps. _____

7. Il est tombé très peu de neige ce matin, mais la météo annonce des chutes de neige importantes la nuit prochaine. _____

8. Il n'est pas tombé une goutte de pluie depuis des mois. _____

3 **Choisissez la ou les bonne(s) réponse(s).**

1. On | annonce | voit | prévoit | un temps magnifique pour le week-end.

2. Il pleut | averse | à torrents | à verse |.

3. Le vent du nord va souffler très fort. Il accentuera | la sensation de froid | la hausse des températures | | les températures de saison |.

4. Il a gelé la nuit dernière. | Les routes sont glissantes. | Ça glisse sur les routes. | | Il y a du verglas sur les routes. |

5. Quand il y a simultanément du soleil et de la pluie, on voit | un arc | un arc-en-ciel | une canicule |.

6. En hiver, il y a souvent | du bruit | du brouillard | de la brume |.

■ La tempête

• Il fait très chaud et très **lourd**, de gros nuages arrivent par l'ouest, on commence à entendre **le tonnerre** (**des coups de tonnerre**). Tout à coup, on peut voir des **éclairs** dans le ciel : **l'orage éclate**. Les arbres peuvent être touchés par **la foudre**. **Il se met à** pleuvoir, puis la pluie se transforme en **grêle** (de petits morceaux de glace tombent du ciel) : c'est **un orage de grêle**.

• Les **violents** orages du week-end ont provoqué des **inondations**. La rivière a **débordé** et a envahi les routes et les villages.

LES CLIMATS DANS LE MONDE

• La France connaît un **climat tempéré** (globalement ni très chaud, ni très froid), avec trois nuances : climat **océanique** à l'ouest (**humide**, avec des températures douces l'hiver, pas très élevées l'été), climat **méditerranéen** au sud (températures douces en hiver, très élevées en été, grand **ensoleillement** en général), climat **continental** dans la moitié Est du pays (grands écarts de températures entre l'été et l'hiver).

• Mais il existe des climats beaucoup plus chauds comme les climats **tropicaux** (**secs** ou humides) et des climats beaucoup plus froids comme le climat **polaire**. Le climat tropical d'Inde et d'Indonésie est marqué par **la mousson** (= **saison des pluies** pendant l'été), mais on parle maintenant de mousson dans les régions tropicales d'Afrique, d'Amérique du Sud et du Nord.

• Les climats tropicaux favorisent les **cyclones**, les **ouragans**, les **tornades**, (= tempêtes extrêmement violentes). Les vents violents et les pluies **torrentielles**, **diluviennes** (= très fortes) **emportent** tout sur leur passage : voitures, maisons…, provoquent des **dégâts** très importants et font beaucoup de morts. Des villes peuvent être **inondées**, des quartiers peuvent être **détruits**, des régions entières sont parfois **dévastées**.

LES CHANGEMENTS CLIMATIQUES

• Les **changements climatiques**, **le réchauffement de la planète** constituent un sujet polémique. Les uns pensent qu'ils sont naturels tandis que les **écologistes** (qui cherchent à **protéger l'environnement**) pensent que les activités humaines accélèrent ce réchauffement. Selon eux, l'**utilisation massive** (= très importante) des **énergies fossiles** (le pétrole, le gaz naturel), provoque **l'émission de gaz à effet de serre**. Ils proposent de **réduire** les gaz à effet de serre et de remplacer les énergies fossiles par des **énergies renouvelables** (le soleil, le vent, la force de la mer).

E X E R C I C E S

1 Quel temps fait-il ? Décrivez avec précision les situations suivantes.

1.

2.

3.

4.

2 Identifiez le climat de chacune de ces villes ou de ces régions.

1. À Naples, l'hiver n'est pas froid, l'été est très chaud et il fait souvent soleil. _____

2. Au nord de l'Alaska, l'hiver est extrêmement long et rigoureux. Même l'été, il fait froid. Les lacs restent gelés la plus grande partie de l'année. _____

3. En Guadeloupe, il fait chaud l'hiver et encore plus chaud l'été. L'air est très humide. _____

4. En Bretagne, l'hiver est doux et l'été souvent assez frais. Il pleut régulièrement car l'océan Atlantique apporte beaucoup de nuages. _____

5. À Strasbourg, l'hiver est froid et l'été est chaud. _____

3 Complétez.

1. *Questions posées à un scientifique au sujet des* _____ *climatiques :*

2. Bonjour, Professeur, croyez-vous au _____ de la planète ?

3. Pensez-vous que les énergies _____ en soient la cause ?

4. Est-ce qu'elles sont un danger pour l'_____ ?

5. Est-il vrai que leur utilisation provoque l'émission de _____ ?

6. Pensez-vous qu'il soit possible de _____ les gaz à effet de serre ?

7. Les énergies _____ constituent-elles vraiment une solution ?

4 À vous !

1. Décrivez, avec le plus de précision possible, le temps qu'il fait aujourd'hui.

2. Décrivez, avec le plus de précision possible, le climat de votre pays.

7 NATURE ET ENVIRONNEMENT

VIVRE A LA CAMPAGNE

La France se partage entre grandes villes et campagnes. **La campagne** est associée à **la nature**, **la forêt**, **les** vertes **prairies** et **les rivières**.

■ Le jardin

• Sylvain a quitté la ville pour **s'installer** à **la campagne**, dans **un petit village**. Il a transformé une maison en **gîte rural** (qu'il loue à des vacanciers). Cette maison est entourée d'**un** grand **jardin**. Sylvain adore jardiner (avec **des outils de jardinage**), c'est **un** vrai **jardinier**. Il cultive **des légumes** dans son jardin **potager**, il a **des arbres fruitiers** dans **son verger**, mais il aime surtout **les fleurs**.

le parterre de fleurs (1)
la plate-bande (2)
la jardinière (3)
le pot (4)
un arbuste (5)
la pelouse = le gazon (6)

Quelques fleurs :
la marguerite (7)
le géranium (8)
le muguet (9)
la tulipe (10)

• Sylvain **tond la pelouse** avec sa **tondeuse**. Son petit-fils **cueille** des fleurs et fait un **bouquet** (11).

Sylvain **plante un rosier** et l'**arrose** avec **un arrosoir**.

Le rosier **pousse** et **fleurit**. Il est **fleuri / en fleurs**.

La rose **sent** très **bon**.

Elle **se fane**. Elle est **fanée**.

Expressions imagées	Traditions et symboles
« Être frais comme une rose » : avoir un joli teint, avoir l'air reposé.	**La rose :** symbole de l'amour.
« Envoyer quelqu'un sur les roses » : repousser quelqu'un, refuser sa demande ou sa proposition.	**Le muguet :** on offre du muguet le 1er mai.
« Être rouge comme une pivoine » (ou « comme une tomate ») = avoir le visage tout rouge.	**Le chrysanthème :** la fleur « des morts » (on en met sur les tombes à la Toussaint).
	L'arbre de Noël = le sapin de Noël.
	Le trèfle à quatre feuilles est un porte-bonheur.

1 Éliminez l'intrus.

1. chrysanthème / muguet / légume / tulipe / géranium

2. prairie / forêt / arrosoir / nature / campagne

3. potager / verger / jardin / fruitier

4. planter / jardiner / arroser / potager

2 Choisissez la ou les bonne(s) réponse(s).

1. Deux fois, Vincent a refusé mes invitations au restaurant, et la troisième fois, il m'a franchement envoyée | une lettre | sur les roses | sur les fleurs |.

2. Ce bouquet est sur cette table depuis deux semaines. Les fleurs sont toutes | fleuries | tondues | fanées |.

3. Franchement, tu es fraîche | comme une rose | comme une tomate | comme une fleur |. Tu as très bonne mine, tu as l'air très en forme.

4. Je suis allée faire une grande promenade dans la prairie. J'ai | cueilli | arrosé | planté | des fleurs des champs pour faire un beau bouquet.

5. Coralie habite juste à côté d'un parc. Chaque matin, elle dit bonjour au | potager | jardin | jardinier | qu'elle connaît depuis des années.

6. Sébastien est un peu timide. Hier soir, sa copine l'a embrassé devant ses amis. Il était rouge comme | une tomate | une rose | une pivoine |.

7. C'est bientôt Noël : les enfants ont décoré | l'arbuste | le sapin | l'arbre | de Noël.

3 Complétez.

1. Lucile et Michaël aiment beaucoup les week-ends à la _____. Ils louent régulièrement un gîte _____ dans un petit _____ de Bourgogne. Ils mangent les légumes du _____ et les fruits du _____. Ils se promènent au bord de la _____, puis dans la _____ pour observer les arbres. Après leur promenade, ils s'installent sur la belle _____ verte du jardin pour lire et se reposer. Ils rentrent souvent à Lyon avec un _____ de fleurs qu'ils ont _____ dans les champs.

2. Au contraire, Claire aime la ville, mais son balcon est un vrai _____ ! Cette année, elle a _____ toutes sortes de fleurs dans des _____. Quand il ne pleut pas, elle les _____ chaque soir avec son petit _____.

3. Françoise me dit qu'elle a trouvé un _____ à quatre feuilles dans son _____. Mais je ne la crois pas, je pense que ça n'existe pas.

4 À vous !

1. Avez-vous passé votre enfance en ville ou à la campagne ?

2. Dites ce que vous aimez et/ou ce que vous n'aimez pas à la campagne.

■ Les animaux

• Sylvain a **un chat** et **un chien**. Le chat **miaule** quand on lui tire **la queue** et parfois il **griffe**, mais il **ronronne** si on le **caresse**.
Le chien **aboie** quand quelqu'un arrive, mais ne **mord** jamais.

• Sylvain aime beaucoup les animaux en général. C'est pourquoi il emploie toujours des expressions imagées. Son voisin Jules « **a un caractère de cochon** » (= il a mauvais caractère), Jules et sa femme « **s'entendent comme chien et chat** » (= ils se disputent sans cesse), mais leur fils est « **doux comme un agneau** » (= très doux, très gentil). Aujourd'hui « **il fait un temps de chien** » (= il fait très mauvais), donc « **il n'y avait pas un chat** ce matin au marché » (= il n'y avait personne). Bien sûr, « **une hirondelle ne fait pas le printemps** » (= on ne peut pas généraliser avec un seul exemple). Sylvain explique aussi que son petit-fils « **chante comme un rossignol** » !

• En revanche, Sylvain n'aime pas **les insectes** qui **piquent** : hier, il **s'est fait piquer** par **un moustique**.

L'AGRICULTURE

• On peut voir dans les campagnes des **champs cultivés**. Ces grandes **exploitations agricoles** font de la **culture intensive** (= en énorme quantité) de **céréales** (**blé**, **maïs**), de **tournesol**, etc. Les **agriculteurs** utilisent des **engrais chimiques** qui facilitent la culture et des **pesticides** qui éliminent les insectes. Mais ces produits **polluent** l'eau et le sous-sol (ils provoquent une **pollution** de l'environnement).

• Les **OGM** (**organismes génétiquement modifiés** = **semences transgéniques**) ne sont pas autorisés en France actuellement.

• Pour **protéger l'environnement**, l'agriculture **biologique** (« **bio** ») n'utilise ni engrais ni pesticides. Dans les **fermes biologiques**, les animaux **sont élevés en plein air** et mangent des aliments de qualité (on parle d'un **élevage** biologique).

■ Le vin, la vigne

• La **viticulture** est importante en France. La Bourgogne, le Bordelais, l'Alsace, la Champagne… sont des **régions** de **vignobles**. La France **exporte** (= vend à l'étranger ≠ **importe**) ses vins. **Le raisin** pousse et **mûrit** sur la **vigne**. Quand le raisin est **mûr**, **le viticulteur** le **vendange** (= il le cueille), il **fait les vendanges**.

1 Vrai ou faux ?

	VRAI	FAUX
1. Les OGM sont des engrais.	☐	☐
2. Le chien miaule et griffe les enfants.	☐	☐
3. La culture intensive permet de produire de grandes quantités.	☐	☐
4. La culture des céréales s'appelle la viticulture.	☐	☐
5. Les grandes exploitations agricoles se trouvent dans les campagnes.	☐	☐
6. On ne vendange pas le raisin s'il n'est pas mûr.	☐	☐
7. L'agriculture biologique n'utilise pas de produits chimiques.	☐	☐
8. L'agriculture intensive n'est pas dangereuse pour l'environnement.	☐	☐
9. Les chiens aboient souvent quand quelqu'un arrive.	☐	☐
10. L'agriculture biologique pollue beaucoup.	☐	☐

2 Associez.

1. Hier, je n'ai pas pu voir l'exposition car il y avait trop de monde, mais ce matin, j'étais presque seul dans le musée.

2. Il a vraiment un caractère de cochon.

3. Nos deux enfants s'entendent comme chien et chat.

4. Quand tu étais bébé, tu n'arrêtais pas de chanter.

5. Laura a été mordue par un chien l'année dernière.

6. Il fait un temps de chien.

7. Louise adore les animaux domestiques.

8. Malek ? Violent ? C'est tout le contraire !

a. Depuis, elle a très peur des chiens.

b. Elle a plusieurs chats et un chien.

c. C'est vraiment difficile de travailler avec lui tellement il est désagréable.

d. Il n'y avait pas un chat.

e. Il est doux comme un agneau !

f. J'attendrai demain pour aller me promener.

g. Un vrai rossignol !

h. Ils ne sont jamais d'accord et n'arrêtent pas de crier l'un sur l'autre.

3 À vous ! Parlez de l'agriculture de votre pays.

1. Votre pays est-il un pays agricole ?

2. Quel type d'agriculture y pratique-t-on ?

3. Votre pays exporte-t-il ou importe-t-il des produits agricoles ?

4. Est-ce qu'il existe une agriculture biologique ?

L'ENVIRONNEMENT À L'ÉCHELLE MONDIALE

■ Les catastrophes naturelles

• **La Terre** provoque parfois des catastrophes. **Un volcan en activité** (≠ **endormi, éteint**) peut être **en éruption**.

• Les **tremblements de terre / les séismes** sont plus ou moins dangereux selon leur **magnitude** (= leur force).

• Une énorme vague qui détruit tout est **un raz-de-marée** ou **un tsunami**.

■ Les catastrophes écologiques

• L'activité humaine provoque aussi des **catastrophes écologiques**. On pense que la **déforestation** (= la destruction des forêts) est responsable d'une partie de l'**émission de gaz à effet de serre**.

• Les **marées noires**, dues au **pétrole** accidentellement répandu dans la mer, constituent des **catastrophes industrielles** et écologiques.

• Les **centrales nucléaires** produisent de l'électricité, mais aussi des **déchets nucléaires** (**radioactifs**) dangereux pour l'environnement. Le tremblement de terre qui a **secoué** le Japon au printemps 2011 a causé un très grave **accident nucléaire** à Fukushima : c'est un **désastre environnemental**.

■ Le développement durable

• L'environnement est un sujet d'actualité. **Les militants écologistes / les écologistes** souhaitent **la sortie du nucléaire** (un arrêt des centrales) et le développement des **énergies renouvelables** comme les **panneaux solaires** et les **éoliennes** qui transforment l'énergie du soleil et du vent en électricité.

• Le but du **développement durable** est de répondre aux besoins en énergie sans **épuiser les ressources** de la Terre, en respectant les besoins des générations futures.

Remarques. **1.** Le mot **terre** a plusieurs sens : avec une majuscule, il désigne la planète (**la Terre** s'oppose à **Mars**). Sans majuscule, la terre peut désigner tout ce qui, sur notre planète, n'est pas la mer (**un tremblement de terre**). La terre, c'est aussi l'élément dans lequel poussent les plantes (**une terre** riche).
2. Enfin, on peut poser un objet **par terre** (= sur le sol).

1 Complétez avec *Terre, terre, par terre, de terre.*

1. Après un mois sur un bateau, j'étais contente de remettre le pied sur la _____ ferme.

2. Il y avait beaucoup de monde au concert, toutes les places étaient occupées : nous nous sommes assis

_____ .

3. Un tremblement _____ violent a secoué la moitié nord du pays.

4. Les ressources de la _____ seront un jour épuisées.

5. Les légumes poussent bien car la _____ est de bonne qualité.

6. J'ai posé ton sac _____ .

2 Remettez les mots en italique à leur place.

1. La *déforestation* a provoqué la mort d'un très grand nombre d'oiseaux marins et de poissons.

2. Le *séismes* a complètement recouvert trois villages.

3. Le Japon est régulièrement victime de *volcan* importants.

4. Le *raz-de-marée* s'est réveillé et est entré en éruption.

5. En Amazonie, l'exploitation du bois a entraîné une importante *marée noire* qui est dramatique pour

l'environnement.

3 Complétez.

1. Solène et Grégoire ont quitté Paris car ils ne supportaient plus la _____ de la ville. Ils se

sont _____ à la _____ pour être enfin au calme. Mais ils profitent peu du

calme : les chiens des voisins _____, les _____ font un bruit terrible quand les

jardiniers tondent leur _____ . Mais le pire est qu'ils viennent de découvrir que leur maison

était située à quinze kilomètres d'une _____ nucléaire. Quel choc !

2. Loïc et Hervé ne sont pas d'accord sur la protection de l'_____. Loïc est militant

_____ . Depuis les _____ de Tchernobyl et de Fukushima, il pense qu'il faut

arrêter les centrales _____ . Hervé, lui, ne croit pas aux énergies _____, comme

les panneaux _____ ou les _____, exposées au vent. Mais les deux amis ne se

disputent jamais vraiment, car ils sont tous les deux doux comme des _____ !

4 À vous !

1. Indiquez des exemples de catastrophes écologiques dont vous avez entendu parler.

2. Donnez votre opinion sur l'environnement, le nucléaire et le développement durable.

3. Présentez la politique de votre pays en ce qui concerne l'environnement.

LE CORPS – LA SANTÉ

8

STRUCTURE GÉNÉRALE

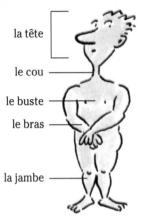

la tête
le cou
le buste
le bras
la jambe

Structure générale

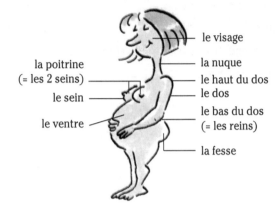

la poitrine (= les 2 seins)
le sein
le ventre
le visage
la nuque
le haut du dos
le dos
le bas du dos (= les reins)
la fesse

Une femme enceinte
(qui **attend un enfant**)

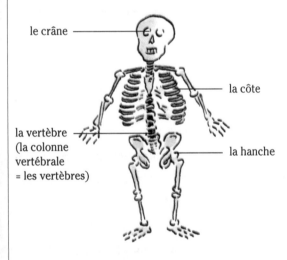

le crâne
la vertèbre (la colonne vertébrale = les vertèbres)
la côte
la hanche

Le squelette
(l'ensemble des **os**)

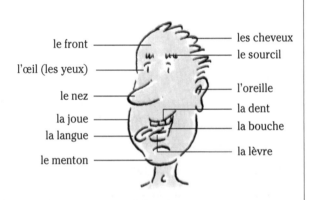

le front
l'œil (les yeux)
le nez
la joue
la langue
le menton
les cheveux
le sourcil
l'oreille
la dent
la bouche
la lèvre

Le visage

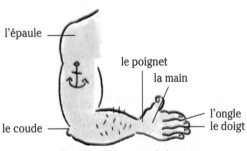

l'épaule
le poignet
la main
l'ongle
le doigt
le coude

Le membre supérieur

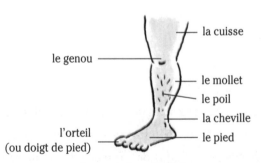

la cuisse
le genou
le mollet
le poil
la cheville
le pied
l'orteil (ou doigt de pied)

Le membre inférieur

L'épaule, le coude, le poignet, la hanche, le genou, la cheville sont des **articulations**.

EXERCICES

1 **Devinez et complétez.**

1. Il lève le _____.

2. Ils se serrent la _____.

3. Elle salue de la _____.

4. Il se pince le _____.

5. Elle ouvre de grands _____.

6. Il tire la _____.

7. Elle hausse les _____.

8. Il a mal aux _____.

9. Elle s'est cassé une _____.

10. Il fronce les _____.

11. Elle est allongée sur le _____.

12. Il est allongé sur le _____.

13. Ils se promènent _____ dessus, _____ dessous.

14. Elle lui donne un coup de _____ aux _____.

2 **Éliminez l'intrus.**

1. front / sourcil / cou / œil

2. côte / orteil / doigt / ongle

3. langue / dent / lèvre / vertèbre

4. cheveu / cheville / poil / sourcil

5. dos / fesses / nez / reins

6. front / menton / sein / joue

7. visage / coude / poignet / genou

8. crâne / tête / visage / colonne vertébrale

■ Quelques expressions imagées...

• **En avoir plein le dos*** = **en avoir par-dessus la tête** = en avoir assez

• **Avoir la tête sur les épaules** = **avoir les pieds sur terre** = être réaliste

• **Ça se voit comme le nez au milieu de la figure** = **ça saute aux yeux** = c'est évident

• **Se retrouver nez à nez avec...** = se retrouver par hasard en face de...

• **Ne pas fermer l'œil de la nuit** = ne pas pouvoir dormir

LES CINQ SENS

■ La vue

Yen **a une bonne vue**, elle a **de bons yeux**, elle **voit bien**.

Sa grand-mère, qui est très âgée, est devenue **malvoyante**, puis **aveugle**, (= elle ne voit plus du tout).

• *Regarder / voir*

– Est-ce que la clé de la voiture est dans le salon ?

– J'**ai** bien **regardé** partout, mais je ne l'**ai** pas **vue**. Pourtant, je **vois clair** !

Le regard = l'expression des yeux → Il a un beau regard.

■ L'ouïe

Olivier est musicien. Il **a une très bonne oreille**, il a **l'ouïe fine** (= il **entend** très bien). Beethoven, qui était un compositeur célèbre, est devenu **malentendant** puis **sourd** (= il n'entendait plus du tout).

• *Écouter / entendre*

– Je n'**ai** pas **entendu** le bruit parce que j'**écoutais** la radio.

– Moi, je l'ai entendu car je **tendais l'oreille** (= j'écoutais très attentivement).

■ L'odorat

Les chiens **ont l'odorat** très développé : ils **sentent** toutes les **odeurs**.

Ça sent bon ≠ ça sent mauvais (= ça pue*).

■ Le goût

– Est-ce que tu **sens le goût** de la vanille ?

– Attends, je **goûte**. (...) **C'est bon** (= ça a bon goût) !

– Moi aussi, je veux goûter ! (...) Ah ! Non ! **Ce n'est pas bon** (= **ça a mauvais goût**). Tu as mis beaucoup trop de vanille !

Remarque. Ne confondez pas : « Ces tomates n'ont aucun goût » (= elles sont **fades**) avec : « Tim n'a aucun goût » (= il ne fait pas la différence entre ce qui est beau et ce qui est laid).

■ Le toucher

On **touche**, on **caresse** avec la main.

1 À quel sens se rapporte chacune des phrases suivantes ?

1. Hum ! Ça sent bon ici ! _____

2. Ce tissu est chaud, mais surtout très doux, n'est-ce pas ? _____

3. Dans ces images, observez bien les couleurs. _____

4. Ce gâteau est absolument délicieux ! _____

5. Cette chanteuse interprète merveilleusement Mozart. _____

6. Ce parfum sent vraiment très fort. _____

7. C'est vraiment fade, ça manque de sel. _____

2 Quelle(s) expression(s) imagée(s) pourriez-vous utiliser dans ces situations ?

1. Omar a eu des réunions chaque jour de la semaine et de plus, elles sont inutiles ! _____

_____

2. C'est évident qu'elle est amoureuse de lui ! _____

3. Il n'a pas d'argent, mais il veut acheter une maison de campagne ! _____

4. Elle a rencontré son prof d'histoire tout à fait par hasard, à la caisse du supermarché. _____

_____

5. Impossible de dormir, il faisait trop chaud ! _____

6. Pierre a une voisine qui fait la fête chaque soir de la semaine. _____

7. Le petit garçon essaye de mentir à sa maman, cela se voit ! _____

8. Il avait prévu des vacances à l'étranger, mais son loyer vient d'augmenter et il a renoncé à son voyage. _____

_____

3 Complétez par le verbe « voir », « regarder », « entendre » ou « écouter ».

1. Je suis allé _____ un concert assez médiocre : on _____ très peu le violon.

2. Elle _____ le tableau avec beaucoup d'attention.

3. Avec ce brouillard, on ne _____ pas à dix mètres !

4. Cet appartement est très bruyant : on _____ beaucoup la circulation.

5. J'aime bien ce médecin car il prend le temps d'_____ ses patients.

6. Tu n'arrêtes pas de _____ ta montre. Tu t'ennuies ? Tu es pressé ?

7. Gérard a de gros problèmes avec ses yeux : il _____ de moins en moins bien.

8. _____ ! Il y a une mouche dans la salade !

4 À vous ! Dans quelles circonstances vous arrive-t-il d'en avoir par-dessus la tête ou de ne pas fermer l'œil de la nuit ?

QUELQUES PARTIES DU CORPS

• **le cœur** → les **battements** du cœur, **battre**.

À mon premier rendez-vous avec Aurélien, mon cœur battait très fort.

Il est **cardiaque** : il a le cœur fragile. Il a déjà eu **une crise cardiaque**.

Avoir bon cœur = **avoir le cœur sur la main** = être généreux

• **le sang** → **saigner**

Il s'est coupé le doigt = **il s'est blessé au doigt**,

il saigne, il perd du sang.

Garder son sang-froid = rester calme dans les moments difficiles

Se faire du mauvais sang = **se faire un sang d'encre** = être très inquiet

• **les poumons** → **la respiration, respirer**

– *Quand vous dormez, est-ce que vous respirez par le nez ou par la bouche ?*

– *Par la bouche, et je* **ronfle** *très fort* (= je fais beaucoup de bruit en respirant).

Il ment **comme il respire** = avec naturel et sans arrêt

• **l'estomac, le foie, les intestins** → **la digestion, digérer**

Antoine aime beaucoup les fruits de mer, mais **il les digère mal**.

Malek a **les intestins fragiles, il est au régime**.

Agatha a mangé trop de chocolat : **elle a mal au cœur** ; elle a une « **crise de foie** ».

Remarque. « **Avoir mal au cœur** » ne signifie pas « avoir une douleur au cœur » (l'organe), mais « avoir un malaise digestif ».

Ça me reste sur l'estomac = je n'arrive pas à accepter cela.

• **les reins** : ce sont les organes qui produisent l'**urine**, mais le mot désigne aussi tout le bas du dos.

Avoir mal aux reins = avoir mal dans le bas du dos

• **la peau** → **la transpiration, transpirer**

Il faisait très chaud, on transpirait beaucoup, on **était en sueur, en nage**.

Être bien dans sa peau = être épanoui(e) ≠ **être mal dans sa peau**

Avoir quelqu'un dans la peau = aimer quelqu'un avec passion

• **les nerfs** → **l'énervement, (s')énerver**

Luc a **les nerfs fragiles** = il s'énerve facilement = il est **nerveux** (≠ **avoir les nerfs solides**, être **calme**)

Caroline **me tape sur les nerfs** ! = Elle m'**énerve** ! Elle est vraiment **énervante**.

Je suis à bout de nerfs = je suis très énervé

• **le cerveau** → **la pensée, l'esprit, l'intelligence, penser, réfléchir**

C'est un cerveau = c'est une personne très intelligente

• **les muscles** → **le mouvement, bouger, se muscler, être musclé**.

Alexandre va chaque jour au club de gym pour **se muscler**.

Avoir des muscles = être fort

Le cœur, les poumons, l'estomac, le foie, les reins sont des **organes**.

1 Dites si on les voit et combien on en compte dans le corps humain.

Exemple : ongle → *oui, vingt*

1. main → _____
2. tête → _____
3. cerveau → _____
4. colonne vertébrale → _____

5. doigt → _____
6. cœur → _____
7. estomac → _____
8. rein → _____

9. joue → _____
10. foie → _____
11. oreille → _____
12. poumon → _____

2 Vrai ou faux ?

	VRAI	FAUX
1. On a le cœur qui bat et on transpire quand on a peur.	☐	☐
2. Le cerveau se situe à l'intérieur du crâne.	☐	☐
3. Les poumons servent à la digestion.	☐	☐
4. Le chocolat provoque des crises cardiaques.	☐	☐
5. Le cerveau est un muscle.	☐	☐
6. Je lève un bras grâce à des muscles.	☐	☐
7. Les reins se situent dans le haut du dos.	☐	☐

3 Complétez.

1. Françoise a arrêté de fumer car elle a les _____ fragiles.
2. Il faut de gros _____ pour porter une armoire.
3. J'ai l'_____ vide : je n'ai rien mangé depuis deux jours.
4. Le chien du voisin n'arrête pas d'aboyer : il me tape sur les _____.
5. Alain s'est coupé en se rasant. Il a mis du _____ sur sa belle chemise blanche.
6. Quand on a la _____ fragile, il faut se protéger du soleil.
7. Mon père a eu une crise _____. Heureusement, ma mère a les _____ solides. Elle est restée calme et a appelé le médecin.
8. J'ai couru trois kilomètres sous le soleil : je suis en _____.

4 Quelles caractéristiques de la personnalité expriment les phrases suivantes ? Utilisez les expressions imagées.

1. Elle a envoyé de l'argent et des vêtements aux victimes du tremblement de terre.
2. Il ne peut pas vivre sans elle, il l'aime à la folie.
3. Au moment de l'accident, il a appelé l'ambulance et il est resté calmement auprès des blessés.
4. Elle est heureuse, elle est jolie, tout marche bien pour elle.
5. Sa mère est très malade, il est vraiment inquiet.
6. Cet homme politique ne dit jamais la vérité.

LA SANTÉ

■ La bonne et la mauvaise santé

Martha **va/se sent (très) bien**. ≠ Pedro **va/se sent (très) mal**.
Elle **est en bonne/excellente santé**. ≠ Il **est en (très) mauvaise santé**.
Elle **est en (pleine) forme**. ≠ Il **n'est pas (du tout) en forme**.
Elle **a bon appétit** (elle mange bien). ≠ Il **n'a pas d'appétit**.

■ La fatigue, le stress

Éric **se sent fatigué**, il est **épuisé**, **crevé***, **lessivé***, **mort de fatigue**, il **n'en peut plus**, il **a vraiment besoin de repos**, il **manque de sommeil**, d'**énergie**. Il travaille trop et s'inquiète. Il est **en état de (grand) stress**. Il est assez **déprimé**, il **est** presque **en dépression nerveuse**. Mais il va **se reposer** car il est en vacances ce soir. **Ça (il) ira mieux** après !

■ L'apparence du visage

Louise était assez fatiguée, mais elle **a l'air d'aller mieux**. Elle **se sent mieux**. Elle **a bonne mine**, elle a même **une mine superbe**, elle a **meilleure mine** que la semaine dernière. Antoine, au contraire, **a mauvaise mine**, il est **blanc comme un linge**, il est **tout pâle**.

■ La douleur

Léa **a mal au dos**, **a une douleur terrible** dans le dos : elle **s'est fait mal** en tombant. Il faut dire qu'elle **souffre** souvent **du dos** (= elle a le dos fragile).

■ La dépendance

Le **tabagisme**, l'**alcoolisme** et la **toxicomanie** (la dépendance au tabac, à l'alcool et aux **drogues dures**) sont très dangereux pour la santé.

■ La maladie

• René **est atteint d'une grave maladie** : il a **un cancer**. Il **s'est fait opérer** (= il **a subi une opération**). René est **très faible**, mais son état **s'améliore**. Il va **guérir**, il **sera** bientôt **guéri** (= il ne sera plus malade).

• Laurent, lui, **a le sida**. Il **avait perdu l'appétit** et **avait** beaucoup **maigri**, mais maintenant, il est **sous traitement** et va mieux !

■ Se soigner

• Quand on **tombe malade**, on **se soigne**, on **se fait soigner** par **un médecin**, on **consulte**, on va **voir** un médecin et on **suit un traitement** : souvent, on **prend des médicaments**. Quelquefois, on est **hospitalisé en urgence**.

• Le médecin soigne ses **patients**. Il peut **prescrire** des médicaments (il fait **une ordonnance**) et/ou **des analyses**, par exemple **une analyse de sang**.

E X E R C I C E S

1 Remplacez les expressions soulignées par des expressions synonymes.

1. Sabrina se fait un sang d'encre car son frère vient de subir une opération.

2. Claude est très malade, mais ne ressent aucune douleur.

3. Liliane a une crise de foie. Elle est toute pâle.

4. Comment va ton fils ? – Mon fils ? Il est en pleine forme et très bien dans sa peau.

2 Mettez les phrases suivantes dans le bon ordre.

a. Cette fois, le médecin lui a fait faire des analyses.   → _____

b. Ça n'allait pas mieux.   → _____

c. Il a maintenant un traitement, mais ça va beaucoup mieux.   → _____

d. Il a d'abord eu mal au ventre.   → *1*

e. Il est retourné voir le médecin.   → _____

f. Il s'est fait opérer.   → _____

g. Les analyses ont montré qu'il avait un cancer, mais pas trop grave.   → _____

h. Il a consulté un médecin.   → _____

i. Il est entré à l'hôpital.   → _____

j. Le médecin lui a prescrit des médicaments.   → _____

3 Éliminez la mauvaise réponse.

1. Je suis | crevée | musclée | lessivée | épuisée | car je n'ai pas eu de vacances cette année.

2. Tu es sûr que ça va ? | Tu es déprimé | tu es tout pâle | tu es blanc comme un linge | | tu as mauvaise mine | tu as l'air fatigué |.

3. Clotilde est très malade. | Elle a perdu l'appétit | elle a beaucoup d'appétit | elle a beaucoup maigri | | elle n'est pas en forme |.

4. Je dors très peu depuis une semaine. | J'ai besoin de sommeil | je souffre du sommeil | | je manque de sommeil | je suis mort de fatigue |.

5. Loïc n'a pas eu le temps de déjeuner à midi. | Il manque d'énergie | il est en forme | | il est un peu faible | il se sent un peu fatigué |.

6. Gaëlle est tombée dans l'escalier. | Elle a très mal aux reins | elle a une douleur terrible | | elle est malade | elle s'est fait mal dans le bas du dos |.

7. Il se drogue depuis longtemps. | Il est en mauvaise santé | il a mauvaise mine | il est guéri | | il n'est pas en forme |.

8. Tous les matins, tu pars au bureau avec mes clés ! | Tu m'énerves | tu as les nerfs fragiles | | tu me tapes sur les nerfs | j'en ai plein de dos | !

L'APPARENCE

9

LES STRUCTURES FONDAMENTALES

■ Il (elle) est comment* ? Comment est-il (elle) ?

• **être + adjectif qualificatif**
Qu'est-ce qu'il* est beau !
Qu'elle est belle ! Elle est vraiment très belle !

• **avoir + nom précédé de l'article indéfini + adjectif**
Adèle a **un beau visage**, un très beau visage. Emma a des cheveux magnifiques !
Cyrano de Bergerac a un grand nez, un très grand nez !

• **avoir + nom précédé de l'article défini + adjectif**
Frank a **les yeux verts et les cheveux châtains**. Laurent a **le teint pâle**.
Jacotte a **la peau claire** et les cheveux gris.

• **être + article indéfini + adjectif + caractéristiques des cheveux**
Christian est **un beau brun**. Virginie est **une jolie rousse**.
C'est un grand blond **aux** yeux verts (= *il est grand, blond et il a les yeux verts*).
C'est une petite brune **aux** cheveux courts.
C'est une fausse blonde (= *ce n'est pas sa couleur naturelle*).

LA TAILLE ET LE POIDS

■ Combien est-ce qu'il mesure ?

Il est...	tout petit	petit	de taille moyenne	grand	très grand	immense
Il mesure...	1 m 55	1 m 65	1 m 75	1 m 80	1 m 90	1 m 95

■ Combien est-ce qu'elle pèse ?

Chloé **s'est pesée** sur **sa balance** : elle **pèse** 65 kilos, elle **a pris 5 kilos** en deux mois, elle a **grossi de** 5 kilos ! Quelle horreur ! Elle doit **maigrir / perdre du poids**, si elle veut **garder la ligne**. « Demain, c'est décidé, je commence **un régime (amaigrissant)**. » Et bien sûr, elle va faire de la gymnastique pour rester **souple**, car elle se sent un peu **raide** en ce moment.

| elle est maigre | mince | ronde | grosse | obèse |

1 Choisissez la bonne réponse.

1. Il mesure 1,90 m, il est | très grand | assez grand | souple |.

2. Il pèse 150 kg, il est | grand | mince | obèse |.

3. Il mesure 1,60 m, il est | mince | petit | gros |.

4. Elle pèse 55 kg pour 1,70 m, elle est | petite | grande | mince |.

5. Elle pèse 45 kg pour 1,70 m, elle est | mince | immense | maigre |.

2 Constituez une seule phrase avec ces éléments.

1. Il est grand, il est brun, il a les yeux bleus.

_____

2. Elle est petite, elle est blonde, elle a les cheveux longs.

_____

3. Il est beau, il est blond, il a les yeux gris.

_____

4. Elle est grande, elle est rousse, elle a les cheveux courts.

_____

5. Elle est petite, elle est brune, elle a les cheveux bouclés.

_____

3 Complétez.

1. Il _____ les yeux verts.

2. Et elle, elle a _____ cheveux châtains ?

3. Je dois _____ du poids, j'ai pris dix _____ !

4. Elle était déjà très mince, maintenant elle est vraiment trop _____ !

Elle a suivi un _____ amaigrissant beaucoup trop dur.

5. Il _____ 70 kilos.

6. Elle est grande et _____, elle _____ 1,80 m et _____ 65 kilos.

4 Décrivez les personnes suivantes.

1.

2.

5 À vous ! Vous êtes comment ? Combien est-ce que vous mesurez ?

LA BEAUTÉ... ET LA LAIDEUR

• Raphaël **n'est pas mal**... il est même plutôt **mignon**. Grégoire est **beau comme un dieu** ! C'est vraiment **un bel homme** !

• Amandine est très **jolie**, très **mignonne**, **adorable**, elle est même **ravissante** !

• Anne est **belle**, elle est **superbe**, **magnifique** ! C'est **une très belle femme**.

• Clémence est une femme **séduisante**, elle **plaît aux** hommes ! Michel a beaucoup de **charme**, il plaît aux femmes.

• Henri n'est pas beau, il est **moche***, il est même **laid**. Il **est d'une laideur incroyable** !

• Raymond est laid et antipathique, il est vraiment **affreux** !

• Cécile non plus n'est pas belle, elle aussi est **moche***, **laide comme un pou*** !

• Madeleine est danseuse, elle est **gracieuse**.

• Adèle est **élégante** (= elle est bien habillée), **coquette** (= elle aime les beaux vêtements, le maquillage, les bijoux...) et **soignée** (**propre et bien coiffée**). Son mari, au contraire, est **mal habillé**, **négligé** et **mal coiffé**.

Remarques. 1. Les adjectifs « mignon » et « adorable » évoquent quelque chose ou quelqu'un de petit. Les adjectifs « beau », « magnifique », « splendide », au contraire, évoquent quelque chose ou quelqu'un de grand. **2.** « Il n'est pas mal », change de sens avec l'intonation. Avec une intonation neutre : « il est assez beau » ; avec une intonation admirative : « il est vraiment beau ! ». **3.** On ne dit pas d'un homme qu'il est « ~~joli~~ »...

LES SIGNES PARTICULIERS

Il a/porte des lunettes.

Elle a des taches de rousseur.

Elle a un grain de beauté.

Il a/porte la moustache, il est moustachu.

Il a/porte la barbe, il est barbu.

L'ÂGE

• Antoine a 35 ans, mais il **fait / paraît plus vieux que son âge**, il **fait** 45 ans ! Florence, au contraire, **fait plus jeune que son âge**. Elle a **une cinquantaine d'années**, mais elle **ne fait pas son âge**, elle paraît 40 ans.

• Pour donner une idée de l'âge, on peut dire :
– **une petite fille, un petit garçon** : entre 2 et 10/11 ans ;
– **une jeune fille, un jeune homme, « des jeunes »** : entre 17 et 25 ans environ ;
– **une jeune femme, un homme jeune** : entre 30 et ... ans ! (*la limite est délicate à définir !*) ;
– **une vieille dame, un vieux monsieur, une dame âgée, un monsieur âgé** : plus de 70 ans.

1 **Choisissez la bonne réponse.**

1. Joëlle | est | a | fait | plus jeune que son âge !

2. Flore a 6 ans, c'est une | jeune fille | petite fille | jeune femme |.

3. Lucien a | une soixantaine | soixante | environ soixante | d'années.

4. Nabil a 18 ans, c'est un | monsieur | jeune homme | petit garçon |.

5. Eugénie a 85 ans, c'est une | âgée | ancienne | vieille | dame.

6. Alix a 32 ans, c'est une | vieille | jeune | petite | femme.

2 **Répondez aux questions, en utilisant un autre mot dans la réponse.**

1. Charlotte est jolie ? – Oh oui, _____

2. Vincent plaît aux femmes ? – Oh oui, _____

3. François porte la moustache ? -- Oui, _____

4. Denis n'est vraiment pas beau, n'est-ce pas ? – Oh non, _____

5. Nora s'habille bien ? – Oh oui, _____

6. Mathilde est vraiment belle, n'est-ce pas ? – Oh oui, _____

7. Pascal porte la barbe ? – Oui, _____

8. Ce petit garçon est vraiment mignon ? – Oh oui, _____

3 **Complétez ce dialogue entre deux adolescentes.**

1. – Il est _____, Gaétan ?

2. – Ah, Gaétan, il est beau comme _____ !

3. – Oui, je sais, il n'est pas mal, mais il _____ quel âge ?

4. – Une vingtaine d'_____, je crois, mais il _____ un peu plus vieux que

   son _____.

5. – Il est _____ ?

6. – Oh oui, mais je ne sais pas _____ il mesure. Au moins 1,85 m, peut-être plus !

7. – Il _____ les yeux de quelle _____ ?

8. – Il a _____ verts…

9. – Il a une copine ?

10. – Oui, mais elle n'est pas jolie du tout, elle est vraiment _____ !

11. En plus, elle est trop _____, elle devrait faire un régime !

12. – Oui, mais apparemment, elle _____ aux garçons…

13. – Pourtant, je me trouve beaucoup plus _____ qu'elle ! Et cet idiot de Gaétan ne me

    regarde même pas !

LE VISAGE ET LES YEUX

• Clotilde a un beau visage **harmonieux**. Elle a **les traits fins**. Lydie n'est pas belle, mais elle a un visage **expressif**. Elle **a un beau sourire**.

• La forme du visage varie. Il peut être…

rond   allongé   carré

• Le bébé **a la peau** toute **lisse**, tandis que le vieux monsieur a beaucoup de **rides**, il a le visage tout **ridé**.

• Thomas **a le teint pâle / clair**, tandis que Zohra a le teint **mat** (= foncé). Yoshiko a **le type asiatique** et les yeux **bridés**. Ali a **le type méditerranéen** et **le teint basané**. Joe **est noir**. Pawel a le type **slave** et Bjorn a le type **nordique**.

Remarque. Ne confondez pas « il est noir » (= *il a la peau noire*) et « il est brun » (= *il a les cheveux bruns ou noirs*).

• Julien est **métis**, Sophie est **métisse** (ils ont, par exemple, un père noir et une mère blanche).

• Dora a de beaux yeux noirs **en amande**. Michel a les yeux **noisette**. Émilie a les yeux **gris-vert** et sa sœur, les yeux **bleu pâle**.

LES CHEVEUX ET LA COIFFURE

• Outre les termes usuels (**blond**, **châtain**, **brun**, **roux**, **noir**, **gris**, **blanc**, etc.), on peut nuancer : Léon avait les cheveux bruns, maintenant, il a les cheveux **poivre et sel** (= gris). Léa a les cheveux **châtain clair** (≠ **châtain foncé**).

Éléonore a les cheveux **longs, bouclés** et **dégradés**. Elle a **la raie au milieu**.   Fanny a les cheveux **mi-longs**, **raides**, **coupés au carré**, et elle **porte une frange**.   Edwige a les cheveux **courts** et **frisés**.

Chloé a **la raie sur le côté**, elle porte les cheveux **attachés par une barrette**,   **en tresses**,   ou en **queue de cheval**.

Paul est déjà **dégarni**.   Alain est **chauve**.

1 **Complétez.**

1. Cette petite fille a la _____ lisse.

2. La vieille dame a beaucoup de _____ sur le visage.

3. Léon a les cheveux gris, il a les cheveux _____.

4. Henriette n'a pas les cheveux châtain clair, mais châtain _____.

5. Serge n'a plus de cheveux, il est _____.

6. Michel a un beau visage, il a les _____ fins.

7. Adrienne n'a pas les cheveux coupés au carré, mais _____.

2 **Décrivez en détail les personnes suivantes.**

1. **2.** **3.**

3 **À vous ! Pouvez-vous faire une description précise de...**

1. Vous-même : _____

_____

_____

2. Un(e) très bon(ne) ami(e) : _____

_____

_____

3. Quelqu'un que vous détestez : _____

_____

_____

4. Une personne âgée que vous aimez bien : _____

_____

_____

5. Un petit garçon ou une petite fille : _____

_____

_____

10

LES VÊTEMENTS – LA MODE

LES VÊTEMENTS

une mini-jupe • une jupe plissée • une robe sans manches • une jupe droite • une robe à manches longues • une salopette • un bermuda • un smoking • une robe de soirée • un peignoir de bain • une robe de chambre avec deux poches • un gilet • une chemise à manches courtes • un débardeur • un gilet • un pull à col roulé • un pull en V • un pull à col rond • une doudoune • un blouson • un anorak avec une capuche

• L'ensemble des vêtements que l'on porte s'appelle **une tenue**, qui peut être **décontractée**, **de sport** ou, au contraire, **habillée** ou même « **de soirée** »…

• Des mots viennent de l'anglais : **un sweat**, **un legging**, **un trench**, **un T-shirt**, **un short**, **une parka**, **un polo**, **un jogging** et, bien sûr, **un jean**.

• Certains termes sont vagues : **un ensemble** (**veste** + jupe ou **pantalon assortis**, pour une femme) ; **un haut** (chemise, T-shirt, débardeur, etc.).

• Certains mots sont un peu démodés, par exemple le terme de « **chemisier** ».

Remarque. « Le gilet » désigne deux vêtements différents, un pour homme et un pour femme.

LES COULEURS ET LEURS NUANCES

• On peut nuancer une couleur : bleu **clair** ≠ bleu **foncé**, vert **vif** ≠ vert **pâle**.

• On parle des couleurs **pastel** (= délicates, douces et claires). D'autres sont **ternes** (= un peu tristes) : **le gris** ou **le beige**, par exemple.

• On peut aussi employer le nom d'un objet : « elle porte un pull turquoise ».

⬤ **turquoise** ⬤ **crème** ⬤ **bordeaux** ⬤ **mauve** ⬤ **abricot**

E X E R C I C E S

1   Choisissez la ou les bonne(s) réponse(s).

1. Je sors de ma douche, je mets | un anorak | un peignoir | une tenue |.

2. Pour aller à l'opéra, Nina a mis une robe | décontractée | habillée | de soirée |.

3. Il fait très froid dehors, Colette met | une doudoune | un débardeur | une chemise |.

4. Ma grand-mère porte souvent | un gilet | une mini-jupe | un chemisier |.

5. Agathe porte une robe sans | col | capuche | manches |.

6. Pour aller à la plage, Amandine met un short et un | bermuda | débardeur | haut |.

2   Vrai ou faux ?

	VRAI	FAUX
1. Un pull a un col.	☐	☐
2. Une chemise a des manches.	☐	☐
3. On met un peignoir pour aller au travail.	☐	☐
4. Un ensemble est un vêtement féminin.	☐	☐
5. Un smoking est une tenue habillée.	☐	☐
6. Une jupe peut avoir des manches.	☐	☐
7. Une doudoune est une sorte d'anorak.	☐	☐
8. Une robe peut être habillée.	☐	☐
9. Un bermuda est un vêtement décontracté.	☐	☐
10. Un gilet est un vêtement masculin ou féminin.	☐	☐

3   De quoi parle-t-on ?

1. On la met quand on sort du lit. → _____

2. Il peut être à col roulé. → _____

3. Un homme le porte pour aller à une soirée de gala. → _____

4. Les jeunes filles la portent parfois très courte ! → _____

5. C'est la veste que l'on met pour faire du ski, par exemple. → _____

6. C'est le nom de l'ensemble des vêtements que l'on porte. → _____

7. C'est un short qui arrive au-dessus des genoux. → _____

4   Décrivez les vêtements et les couleurs que portent ces personnes.

1.   2.   3.

LES SOUS-VÊTEMENTS

le caleçon

le slip

le maillot de corps

la combinaison

la culotte

le soutien-gorge

le collant

le bas

la chaussette

la socquette

Les sous-vêtements féminins s'appellent de **la lingerie**. Si elle est raffinée, elle est **en soie** ou **en dentelle**.

LES CHAUSSURES

les baskets

le talon

les escarpins (= chaussures à talon)

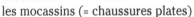

la semelle

les mocassins (= chaussures plates)

les pantoufles

les bottes les bottines

les sandales

Une paire de chaussures = 2 chaussures. Elles peuvent être **en cuir**, **en toile**, **en daim**, **en synthétique**…

LES MATIÈRES

Une chemise **en (pur) coton**, un pull **en (pure) laine**, une cravate **en soie**, une robe **en lin**, une veste **en cuir**, un pantalon **en velours**, un manteau **de fourrure**…

Il existe, bien sûr, des matières synthétiques : **le nylon**, **l'acrylique**, **la viscose**…

LES MOTIFS

Un tissu est **noir**, **blanc** ou **de couleur**.
Il est **uni** (= d'une seule couleur) ou **imprimé** (= **à motifs**).

à fleurs

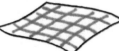

écossais

à carreaux

à rayures

à pois

E X E R C I C E S

1   Retrouvez onze noms de matières (6 horizontalement, 5 verticalement).

Z	E	L	L	I	T	Y	O	P	M
D	E	A	C	R	N	D	A	I	M
A	I	I	O	C	Y	J	K	V	T
D	E	N	T	E	L	L	E	E	T
S	A	E	O	S	O	I	E	L	O
X	E	U	N	A	N	I	P	O	I
C	U	I	R	A	G	F	U	U	L
W	I	L	L	I	N	C	O	R	E
F	O	U	R	R	U	R	E	S	O

2   Vrai ou faux ?

	VRAI	FAUX
1. Les femmes portent des soutiens-gorge.	☐	☐
2. Une chemise peut être en fourrure.	☐	☐
3. La socquette est une petite chaussure.	☐	☐
4. On met des sandales quand il fait chaud.	☐	☐
5. On porte des pantoufles dans la rue.	☐	☐
6. Elle porte une robe unie, à fleurs bleues.	☐	☐
7. Mes escarpins ont un talon de 4 centimètres.	☐	☐
8. Je mets des mocassins pour faire une randonnée.	☐	☐
9. Les hommes peuvent porter des caleçons ou des slips.	☐	☐
10. Une cravate est généralement en dentelle.	☐	☐

3   Complétez les phrases en vous aidant du dessin.

1. Capucine voudrait acheter de la jolie _____

   aux Galeries Lafayette.

2. Elle essaie un _____-_____ en

   dentelle, absolument ravissant !

3. La vendeuse lui montre la petite _____ assortie.

4. Capucine a aussi besoin de _____ noirs et

   d'une paire de _____ à _____ bleues et blanches.

5. Capucine va acheter un _____ à _____ pour son mari.

4   À vous ! À propos de la mode.

1. En général, portez-vous des tissus unis ou imprimés ?

2. Quelles chaussures portez-vous dans la vie quotidienne ? Et pour une soirée ?

3. Portez-vous des matières naturelles ou des matières synthétiques ?

LES ACCESSOIRES

le chapeau   le bonnet   la casquette   l'écharpe   le foulard   la cravate   le nœud papillon   le gant

la ceinture   les bretelles   le sac à main   le parapluie   les lunettes

Les bijoux :

les boucles d'oreilles   le collier   la bague   le bracelet   la chaîne   le pendentif   la broche   la montre

Remarque. La bague de mariage s'appelle « **une alliance** », qui se porte à la main gauche.

COMMENT TU T'HABILLES ?

• Le matin, **je m'habille** (= je **mets** mes vêtements). Le soir, je **me déshabille** (= **j'enlève** / **je retire** mes vêtements). « Déshabillez-vous ! » dit le médecin à son patient.

Remarque. J'**habille** et je **déshabille** mon enfant ou ma poupée.

• **Comment tu vas t'habiller**, ce soir ?

Élodie : Je vais **me changer** (= changer de vêtements). Je vais **mettre** une jupe et un haut **assorti** (= de la même couleur).

Julien : Moi, je ne vais pas **me mettre en** costume-cravate ! Je **reste en** jean.

COMMENT EST-IL/ELLE HABILLÉ(E) ?

– Alors, comment Dora était-elle habillée ?

– Elle était **bien** (≠ **mal**) **habillée, de manière assez classique** (≠ **originale** < **excentrique**), comme d'habitude. Elle **avait** un pantalon noir et une chemise à rayures blanches et rouges. Elle **est** toujours **en** pantalon, comme tu sais.

– Elle **porte** souvent du noir, non ?

– Ça dépend. De toute façon, elle **s'habille bien** (≠ **mal**).

QUELQUES EXPRESSIONS IDIOMATIQUES

« **Je n'ai plus rien à me mettre !** » disent beaucoup de femmes (et d'hommes…) en ouvrant leur placard.

Pour le mariage de Charlotte et Matthieu, « **ma mère s'est mise sur son 31** » (= *elle s'est habillée de manière particulièrement élégante, contrairement à son habitude*).

E X E R C I C E S

1 **De quel bijou ou de quel accessoire parle-t-on ?**

1. Elle est généralement en soie de couleur et les hommes la mettent sur une chemise. _____

2. On le porte suspendu à une petite chaîne. _____

3. Elles permettent de se protéger les yeux quand le soleil est trop vif. _____

4. Il est en laine, il est chaud, et il protège la tête quand il fait froid. _____

5. Il nous protège de la pluie. _____

6. On accroche ce bijou à un pull, par exemple. _____

7. On la met sur la tête pour se protéger du soleil quand on fait du sport, par exemple._____

2 **Choisissez la bonne réponse.**

1. – Comment tu | t'habilles | te déshabilles | habilles |, ce soir ?

2. – Ne m'en parle pas, je n'ai plus rien à me | changer | porter | mettre | ! Et toi ?

3. – Oh, je n'ai pas le courage de | m'habiller | retirer | me changer |. Je | mets | suis | reste | en pantalon et en

   chemise, mais je | retire | porte | ai | ma cravate.

4. – Moi non plus, je ne vais pas | me mettre | m'habiller | me changer | sur mon 31 : un haut noir et ma

   belle écharpe turquoise, et cela ira.

3 **Quels accessoires pourraient aller avec ces vêtements ?**

1. un pantalon un peu large : _____

2. un imperméable : _____

3. une chemise blanche : _____

4. un anorak : _____

5. un maillot de bain : _____

6. un manteau de femme : _____

4 **À vous ! Enquête sur la mode.**

1. Comment êtes-vous habillé(e), aujourd'hui ? Décrivez-vous précisément (vêtements, chaussures,

   accessoires…).

2. Est-ce que vous avez déjà porté une tenue de soirée ? Laquelle ? À quelle occasion ?

3. Est-ce que vous vous habillez de la même manière en semaine et le week-end ? Pourquoi ?

4. Quelles couleurs portez-vous, en général ?

5. Est-ce qu'il vous arrive de porter des vêtements originaux, ou même excentriques ? Lesquels ? Dans

   quelles circonstances ?

6. Portez-vous des bijoux ? Lesquels ?

7. En général, faites-vous attention à votre tenue ? Comment choisissez-vous vos vêtements ?

ACHETER DES VÊTEMENTS

• Adèle a décidé de « **faire les magasins** », c'est-à-dire qu'elle va explorer toutes les **boutiques de mode** de sa ville. Bien sûr, elle a besoin de vêtements d'été, mais elle ne sait pas exactement ce qu'elle cherche.

• Elle entre dans une boutique et trouve une belle jupe d'été, **longue et légère**. Le problème, c'est que la jupe est en lin, donc elle **se froisse** facilement. Et Adèle déteste repasser… C'est dommage, car le lin est **à la mode** cette année, cela **se fait beaucoup**.

• Dans une autre boutique, Adèle **repère** (= trouve) un ensemble en synthétique **un peu plus classique**, mais qui pourrait convenir pour le bureau. En plus, ce tissu **se lave très bien en machine** (≠ **à la main**). Elle va dans **la cabine d'essayage**, mais non, décidément, **cette coupe ne lui va pas du tout** ! Les jupes plissées la **grossissent** (= *la font sentir grosse*).

• Enfin, Adèle trouve un modèle **qui lui plaît**. C'est exactement le contraire de la première jupe : elle est **moulante** (= très **près du corps**), **dans un tissu** assez **original**, à motifs de toutes les couleurs. La vendeuse demande à Adèle **quelle taille elle fait**. Normalement, Adèle **fait du** 40, mais la vendeuse lui conseille **une taille en dessous** (≠ **au-dessus**). Adèle est ravie et trouve que cette coupe **lui va très bien** et l'**amincit**.

• Maintenant qu'Adèle a trouvé la jupe de ses rêves, il lui faut **un haut assorti**. La vendeuse lui montre un haut noir, très **sobre** (= **simple**) et très **élégant** mais… un peu trop cher !

ACHETER DES CHAUSSURES

• Serge a besoin de chaussures, car celles qu'il porte sont tout **usées** (≠ **neuves et en parfait état**). Il cherche **des mocassins confortables pour aller avec** son costume de travail. Serge déteste faire les courses et va toujours dans le même magasin. Il voit, **dans la vitrine**, des chaussures qui lui plaisent.

• La vendeuse lui demande **sa pointure**. Serge **fait / chausse du** 42. La vendeuse lui apporte deux **modèles**, qu'il essaye. Le premier ne va pas du tout : les chaussures le **serrent**, elles sont **trop étroites**, Serge **se sent mal dedans**. Heureusement, la deuxième paire lui convient : les chaussures sont assez **larges** et **confortables**… Ce sont d'ailleurs exactement les mêmes que ses vieux mocassins usés !

E X E R C I C E S

1 Choisissez la bonne réponse.

1. Vous | faites | avez | quelle taille ?

2. Elle cherche une jupe | ample | moulante |, près du corps.

3. Vous avez ces sandales dans ma | taille | pointure | ?

4. C'est un tissu très délicat, qui se lave | en machine | à la main |.

5. Ce modèle me va bien, il me | plaît | grossit | beaucoup.

6. Ces chaussures sont trop | larges | serrées |, il me faut la pointure au-dessus.

7. Tes bottes sont très jolies ! Elles sont | usées | neuves | ?

8. Renaud porte toujours les mêmes vêtements | originaux | confortables |.

9. Cette couleur est à la mode, elle se | prend | fait | beaucoup, en ce moment.

2 Remettez le texte dans l'ordre.

a. La vendeuse lui propose deux modèles différents en 42. → _____

b. Ce pantalon est assez large et lui plaît ! → _____

c. La cliente cherche un pantalon bleu foncé. → *1*

d. Elle fait du 42. → _____

e. Elle essaye le premier modèle, mais il ne lui va pas du tout ! → _____

f. Elle demande la taille au-dessus et l'essaye. → _____

g. La vendeuse lui demande sa taille. → _____

h. Elle essaye l'autre modèle, mais il est un peu trop serré. → _____

3 Complétez.

1. Je cherche des sandales pour _____ avec cette robe d'été.

2. Cette chemise est jolie, mais elle se _____ facilement, et je ne veux pas la repasser tout le temps.

3. Les deux adolescentes adorent _____ les magasins !

4. Ce pantalon est trop petit, il me faut la taille _____.

5. Je dois trouver un sac _____ à mes chaussures noires.

6. Cette couleur est très _____ en ce moment, on en voit partout !

7. Ces bottines sont trop étroites, elles me _____.

4 À vous !

1. Est-ce que vous aimez faire les magasins ? Pourquoi ?

2. Comment est-ce que vous achetez vos vêtements ? Vous allez toujours dans les mêmes boutiques ?

3. Comment achetez-vous des chaussures ? Attendez-vous qu'elles soient complètement usées pour en acheter d'autres ? En changez-vous souvent ?

11

LA MAISON – LE LOGEMENT

L'IMMEUBLE

• À côté de **la porte d'entrée** de l'immeuble, **un interphone** permet d'appeler la personne que l'on vient voir. Quelquefois, il faut aussi connaître **un code**. Dans **le hall d'entrée** se trouvent **les boîtes aux lettres** et, parfois, **la loge du gardien** (de **la gardienne**) (= du/de la **concierge**). Si **l'ascenseur** est **en panne** (= s'il ne **marche** pas), on doit prendre **l'escalier** pour monter du **rez-de-chaussée** aux **étages**. Parfois, l'escalier est **raide** car les **marches** sont hautes et étroites.

• Anaïs habite au troisième étage, et elle a deux **voisins** de **palier** (= qui habitent au même étage qu'elle). Elle **ferme sa porte à clé** quand elle part, mais une fois elle a oublié **la clé** dans **la serrure**…

LA MAISON DE MON ONCLE

• Je gare ma voiture le long de **la clôture**, devant **le** grand **portail**. Je **sonne**, et mon oncle vient m'ouvrir. Nous allons vers la maison, par **une** longue **allée**.

• Dans **l'entrée**, j'**accroche** mon manteau **au portemanteau**, puis j'entre dans **la salle de séjour**. Mon oncle a **allumé un feu dans la cheminée** pour **chauffer la pièce**, qui a **un plafond** très haut. **La table** est déjà mise dans **la salle à manger**, et je vais embrasser ma tante qui prépare le dîner dans **la cuisine**.

• Mon oncle me conduit à **ma chambre**, qui est au deuxième étage, **sous les toits**. En fait, il **a aménagé**, dans l'ancien **grenier**, une **chambre d'amis** et **un bureau**.

• Au premier étage, mon oncle est en train de **faire des travaux** dans la chambre de ma cousine : il **a enlevé le vieux papier peint** à fleurs, et il va **repeindre les murs en blanc**, tout simplement. Mon oncle est très **bricoleur**, il adore **réparer** ce qui ne marche pas, **peindre**, etc. Il va aussi transformer en **débarras une** petite **pièce** au fond **du couloir**, pour pouvoir **ranger** toutes les **vieilles affaires**, **les valises**, **les cartons**, etc.

E X E R C I C E S

1 **Vrai ou faux ?**

	VRAI	FAUX
1. Le couloir se trouve dans le jardin.	☐	☐
2. Dans le débarras, on peut dormir.	☐	☐
3. La clé se met dans la serrure.	☐	☐
4. On marche sur le plafond.	☐	☐
5. L'escalier est parfois en panne.	☐	☐
6. Le grenier se trouve sous le toit.	☐	☐

2 **Le mystérieux Alfred. Replacez les mots suivants dans le texte :**

rez-de-chaussée – l'immeuble – escalier – l'entrée – porte d'entrée – une clé – l'ascenseur – serrure – boîtes aux lettres – l'interphone – gardienne – étage – la porte – clé

La _____ est ouverte, Alfred entre dans _____ sans difficulté. La

_____ est dans sa loge, mais ne le voit pas, il peut prendre _____ sans être

remarqué. Quand il arrive au sixième _____, il sort _____ de sa poche et la

met dans la _____. À ce moment-là, _____ s'ouvre toute seule. Dans

_____ de l'appartement, il voit par terre un objet brillant, c'est une autre

_____ ; juste à côté, il trouve un petit papier sur lequel est écrit : « je vous attends au

_____, devant les _____. » Au même moment, il entend la sonnerie de

_____ puis quelqu'un qui monte lentement les marches de l'_____. Que faire ?...

3 **Choisissez les bonnes réponses.**

1. Je | range | repeins | entre | accroche | chauffe |
la chambre.

2. Il | ouvre | allume | aménage | répare | la porte.

3. Nous | allumons | réparons | peignons |
| accrochons | le mur.

4. Elle | répare | chauffe | peint | ferme | sonne |
le portail.

5. Tu | allumes | ouvres | fermes | marches |
la boîte aux lettres.

4 **Que se passe-t-il dans cette pièce ? Décrivez la situation.**

• Avant le dîner, j'accompagne mon oncle dans **sa cave**, qu'il a aménagée **au sous-sol**, et où il entrepose ses bouteilles de vin. À côté de la cave, il y a **le garage** pour la voiture et **un atelier**, où mon oncle **range** tous **ses outils de bricolage**.

• Ma tante est fière de sa grande cuisine **bien équipée** : **un** grand **frigo*** (= **un réfrigérateur**) avec **un congélateur** (pour conserver les aliments longtemps), **un** double **évier** avec **les robinets** d'eau chaude et d'eau froide, **un lave-vaisselle** et **une cuisinière à gaz** avec **un four**. Ma tante utilise aussi **un four à micro-ondes**. **Les placards** sont « **pleins à craquer** » de **provisions**. Sous l'évier, dans un autre placard, il y a **une poubelle** où l'on **jette les ordures**.

• Voyons un peu **le mobilier**. Mon oncle et ma tante préfèrent **les meubles anciens**, tandis que ma cousine a toujours aimé **le moderne**. Dans **le salon**, il y a donc **un** vieux **canapé** (= **un divan**) **confortable**, avec des **coussins** verts **assortis aux rideaux** verts et **un fauteuil en cuir** où mon oncle lit le journal. Le chat, lui, se couche sous **la table basse**. Contre un mur, à côté de **la télévision**, est placée **une** grande **bibliothèque**, remplie de livres.

• La chambre de ma cousine est **en désordre : quelle pagaille*** ! Elle ne **range** pas ses vêtements. Pourtant, elle a **une penderie** où elle pourrait les **suspendre** sur **des cintres**, **une armoire**, **une commode à trois tiroirs** où elle devrait mettre **son linge**. À droite du **lit**, il y a **une** petite **table de chevet**, avec **une lampe de chevet** et **un réveil électronique**, qui fait un bruit affreux quand il **sonne**. Contre le mur, **dans un coin**, je vois **le radiateur électrique** qu'on allume quand il fait froid. **Le bureau** et **la chaise** sont modernes. Seul le lit est traditionnel : **un matelas**, sur lequel est placé **un drap-housse**, puis un **drap** normal, **une couverture** en laine, **une couette** et par-dessus, **un dessus-de-lit** de couleur. Il y a aussi deux **oreillers** bien **moelleux** (= confortables et doux).

E X E R C I C E S

1 Quel objet se trouve dans quelle pièce ? Choisissez la bonne réponse.

1. Dans le salon : | un canapé | une douche | un four |.

2. Dans l'entrée : | une clôture | un portail | un portemanteau |.

3. Dans la chambre : | une couette | un évier | un interphone |.

4. Dans la salle à manger : | une penderie | une allée | une chaise |.

5. Dans la cuisine : | un cintre | une poubelle | un oreiller |.

6. Dans le débarras : | un carton | un congélateur | une bibliothèque |.

2 Complétez par le terme approprié.

1. Je déteste ranger, mon bureau est toujours en _____.

2. Nous _____ les ordures dans la _____.

3. Sandrine et David sont installés sur le _____ pour regarder la télévision.

4. Élodie réchauffe un plat surgelé dans le four à _____.

5. Avant de se coucher, Félix éteint sa lampe de _____.

6. Mes vêtements sont suspendus sur des _____, dans la _____.

7. Il ouvre le _____ d'eau chaude pour se laver les mains.

8. Pour dormir, je pose ma tête sur un _____.

9. L'ensemble des meubles s'appelle le _____.

10. Je lave les légumes dans l'_____.

3 Vrai ou faux ?

	VRAI	FAUX
1. Nous mettons la voiture dans le grenier.	☐	☐
2. On peut manger dans la cuisine.	☐	☐
3. Il est confortablement installé sur le canapé.	☐	☐
4. Il range les bouteilles de vin dans la cave.	☐	☐
5. Au milieu du salon, il y a une table de chevet.	☐	☐
6. Le débarras est un élément du mobilier.	☐	☐

4 Décrivez la pièce en détail.

• Dans **la** grande **salle de bains**, il y a **une** belle **baignoire** où ma tante prend **des bains moussants** (mon oncle préfère prendre **une douche**) et **un lavabo**, surmonté d'**un miroir**. De chaque côté du lavabo, les **draps de bain**, **les serviettes** et **les gants de toilette** (pour se frotter le corps avec du savon) sont posés sur **les porte-serviettes**. Sous **les toilettes**, je vois de l'eau qui **coule** d'un **tuyau** : mon oncle va bientôt réparer cette petite **fuite d'eau**.

• Sur **le sol** ? Dans la cuisine et la salle de bains, il y a **du carrelage**, bien sûr. Dans les chambres, de **la moquette** de couleur neutre, et dans la salle de séjour, **un** très beau **parquet en bois**. Ma tante aimerait mettre à côté du divan **un tapis** persan ou marocain.

• Aux fenêtres, ma tante a mis **des voilages blancs** et **des rideaux** de couleur. Le soir, elle ferme **les volets**.

• C'est ma tante qui s'est occupée de **la décoration** : elle a placé des **bibelots** (= de petits objets décoratifs) sur **les étagères**, elle **a accroché des tableaux** au mur. Sur **le rebord des fenêtres** et sur **le balcon**, elle cultive **des fleurs** et **des plantes vertes**. Elle met **le bouquet** que je lui ai offert dans **un vase**.

1 Éliminez l'intrus.

1. étagère / armoire / commode / parquet
2. drap / couverture / couverts / couette
3. évier / baignoire / douche / lavabo
4. serviette / plante verte / vase / tableau

5. frigo / moquette / évier / four
6. matelas / fauteuil / divan / chaise
7. tapis / moquette / miroir / carrelage
8. voilage / serviette / rideau / volet

2 Devinez de quel objet on parle.

1. On le pose par terre, pour décorer. Il vient de Turquie, d'Iran, de Tunisie… → _____

2. C'est un meuble sur lequel on range les livres. → _____

3. Sur ce siège confortable, plusieurs personnes peuvent s'asseoir. → _____

4. C'est accroché au mur, pour décorer. Certains ont beaucoup de valeur ! → _____

5. C'est relativement petit, cela sonne le matin pour nous réveiller. → _____

6. C'est sur le lit. On pose sa tête dessus quand on dort. → _____

7. Ils sont en tissu, colorés, et sont placés devant la fenêtre. → _____

8. Cet objet permet de se regarder. → _____

9. C'est l'objet dans lequel on peut prendre un bain. → _____

10. Ils ne sont pas utiles, mais on les place pour décorer. → _____

3 D'après vous, quel genre de personne pourrait avoir une de ces chambres ?

1. Une chambre avec les rideaux, les coussins et le dessus-de-lit assortis, des plantes vertes, une moquette épaisse de couleur pêche.

2. Une petite chambre rose, avec une commode blanche, des rideaux à fleurs et des coussins de toutes les couleurs.

3. Une chambre en désordre, un lit défait, des photos de chanteurs rock au mur et une serviette sale par terre.

4. Une chambre un peu sombre, des bibelots et des photos encadrées sur la commode, un dessus-de-lit en dentelle et un vieux tapis par terre.

5. Une chambre avec un grand lit en bois, un parquet rustique, des plantes vertes et une étagère remplie de livres.

4 À vous ! Parlez de votre habitation (meubles, style, objets…).

1. Décrivez votre logement (pièces, meubles et couleurs).

2. Quels sont vos goûts pour la décoration de votre logement ? Comment est-ce que vous le décorez ? Est-ce que vous préférez le style ancien ou moderne ? Vous aimez avoir des bibelots, des tableaux au mur, des plantes ? Pourquoi ?

3. Votre logement est-il généralement en ordre ou en désordre ?

4. Faites-vous du bricolage ? Si oui, quel genre de choses ?

LOUER ET ACHETER

• Aurélie habite à Saint-Malo, dans **un petit studio**, **clair et moderne**. Elle a une pièce, une cuisine et une salle de bains. Elle **loue** l'appartement : elle est **locataire** et a **un bail** (= **un contrat de location**) pour 3 ans. **Son loyer** est **modéré** (= pas trop cher), car c'est un ami de son père qui **loue** le studio, c'est lui **le propriétaire**. Elle n'a pas été obligée de **payer une caution** (= une somme d'argent de garantie) avant d'**emménager** dans le studio.

Remarque. Bizarrement, c'est le même verbe, « louer », qui est employé pour le locataire et pour le propriétaire ! « Aurélie loue un appartement / Son propriétaire loue l'appartement. »

• Les Delvaux voulaient **acheter une maison de campagne** en Bourgogne. Grâce à **une agence immobilière**, ils en **ont visité** plusieurs. Ils ont finalement choisi **une belle maison ancienne** et **pittoresque**, mais qui est **sale** et **en mauvais état**. Il faut la **restaurer** (= **rénover** = il y a **des travaux à faire**) : il faut **refaire l'électricité** et **la plomberie**, et **installer le chauffage central**. Les Delvaux ont demandé **un devis** (= une estimation du coût des travaux) à plusieurs artisans. Quand tout sera fini, la maison sera toute **propre** et **en bon état**. Les Delvaux pourront **s'installer** dans leur nouvelle **résidence secondaire**. Ils **pendront la crémaillère**, c'est-à-dire qu'ils organiseront une fête en l'honneur de leur nouvelle maison.

• Alex va **déménager** et **quitter son ancien appartement**. Jusqu'à présent, il habitait un appartement **minuscule**, **bruyant** et assez **sombre**. Il vient de trouver, dans **un quartier résidentiel**, un appartement plus grand, **tout neuf** et bien **ensoleillé**, qui **donne sur** une rue calme. Les **déménageurs** vont venir avec **le camion de déménagement** pour transporter toutes **ses affaires** et tous **les cartons**. Alex pourra **emménager** dans son nouvel appartement au début du mois prochain.

QUELQUES EXPRESSIONS IMAGÉES

• Ma voisine ne dit jamais bonjour, ne sourit jamais, elle est vraiment **aimable comme une porte de prison** !

• Chloé n'est vraiment pas discrète. Chaque fois qu'on lui dit un secret, elle va **le crier sur les toits** ! Après cela, tout le monde connaît tous les secrets !

• Nicolas a dit que le chat avait cassé le vase. Ce n'est pas vrai, il a fait un mensonge **gros comme une maison**, puisque c'est lui qui a cassé le vase.

• Patricia manifeste très fortement sa surprise et sa colère : **elle saute au plafond** quand on lui demande quelque chose qui ne lui plaît pas.

1 Devinette. Identifiez qui habite dans chacune des maisons.

1. _____ 2. _____ 3. _____ 4. _____

• Une femme habite dans un immeuble moderne.

• Nicole n'habite pas à côté d'un homme.

• Le voisin de Solange a un balcon minuscule.

• Une autre femme habite dans un immeuble en mauvais état.

• La seule maison avec des volets est habitée par une autre femme.

• Romain a les mêmes rideaux que Françoise.

• Nicole est la voisine de Solange et de Françoise.

2 Vrai ou faux ?

	VRAI	FAUX
1. La pièce est bruyante, elle donne sur une avenue.	☐	☐
2. Le château de Versailles est minuscule.	☐	☐
3. La maison est propre, il faut faire des travaux.	☐	☐
4. Elle pend la crémaillère sur un cintre.	☐	☐
5. L'appartement est clair, il est ensoleillé.	☐	☐
6. Il déménage, il change d'appartement.	☐	☐
7. Il paye un loyer, puisqu'il est propriétaire.	☐	☐
8. La maison est en mauvais état, il faut la restaurer.	☐	☐

3 Parlez de la situation de l'immobilier dans votre pays / région / ville.

1. Est-il courant d'être locataire ? Le prix des loyers est-il élevé ? Vous-même, êtes-vous propriétaire ou locataire ?

2. Comment fait-on pour trouver un logement ? Quelles sont les différentes solutions ?

3. Savez-vous si beaucoup de gens possèdent une maison de campagne ? Pourquoi ?

12

LES ACTIVITES QUOTIDIENNES

LE MATIN ET LE SOIR

Il est sept heures à Paris, le réveil sonne. Manon **se réveille**, **se lève** et **se prépare** : elle **fait sa toilette (se lave)** et **s'habille**. Au même moment, il est une heure du matin à Montréal : Antoine, qui rentre d'une soirée chez des amis, **se déshabille**, **se couche** et **s'endort**.

Pendant qu'Antoine dort, Manon **prend son petit déjeuner** en **écoutant la radio**. Quand elle a le temps, elle préfère **lire le journal** mais ce matin, elle est **pressée** et doit donc **se dépêcher**. Quand elle est prête, elle **réveille** sa petite fille, l'**habille** et lui prépare son petit déjeuner. Le soir, elle la **déshabille**, la **couche** et l'**endort** avec une chanson.

LE REPAS

Chez les Landrin, le père **s'occupe des** repas. Il **fait les courses** et vers 18 heures, il commence à **cuisiner**, à **préparer le repas** du soir.

À 19 h 45, il **met la table** (= il **met le couvert**)…

car les Landrin **se mettent à table** (= **passent à table**) à 20 heures pile.

Quand ils **sont à table**, Madame **sert le dîner**.

Vers 20 h 45, Léa et son père **débarrassent la table** pendant que Madame est devant la télé.

Hier, **le lave-vaisselle** était en panne. Léa a **fait la vaisselle** à la main avec du **liquide vaisselle**.

Et son père a **essuyé la vaisselle** avec **un torchon**.

1 Choisissez dans la colonne de droite l'explication convenable.

1. Eva et Chloé sont à table.

2. Eva et Chloé débarrassent la table.

3. Eva et Chloé mettent la table.

4. Eva et Chloé se mettent à table.

a. Elles s'asseyent autour de la table.

b. Elles commencent à cuisiner.

c. Elles apportent le poulet sur la table.

d. Elles enlèvent les assiettes, les verres et les couverts et les emportent à la cuisine.

e. Elles sont assises autour de la table.

f. Elles placent les assiettes, les verres et les couverts sur la table.

2 Complétez les phrases à l'aide des verbes suivants. (Attention : certains verbes doivent être conjugués ; les pronoms changent selon la personne.)

réveiller – se réveiller – se lever – habiller – essuyer – débarrasser – se préparer – se dépêcher – prendre – coucher – se coucher – faire – dormir – mettre – se mettre – déshabiller – endormir – lire.

1. Le matin, je préfère _____ tôt pour avoir le temps de _____ tranquillement. J'aime _____ mon petit déjeuner et _____ le journal avant de _____ ma toilette. Ensuite seulement, je _____ les enfants. C'est moi qui _____ la petite qui a quatre ans, mais le grand s'habille tout seul.

2. Moi, c'est le contraire : j'ai beaucoup de mal à _____ le matin. Je me _____ toujours en retard et je dois _____ pour partir au lycée.

3. En ce moment, je suis très fatiguée : je _____ très tôt pour aller travailler, je _____ très tard tous les soirs et en plus, je _____ très mal.

4. Pablo a trois ans. Quand il est l'heure d'aller au lit, son père le _____, le _____, puis lui raconte une histoire pour l'_____.

5. « J'ai renversé de l'eau sur la table, tu veux bien l'_____ ? Tu peux prendre le torchon qui est là. Après ça, tu _____ le couvert et nous pourrons _____ à table. »

6. – Qui est-ce qui _____ la vaisselle, ce soir ?

– Moi, j'ai déjà _____ la table !

3 À vous !

1. Dites dans quel ordre vous faites les choses quand vous vous préparez le matin.

2. Racontez le dîner et la soirée d'une famille avec deux enfants de quatre et treize ans.

3. Imaginez les activités quotidiennes d'un couple de personnes âgées.

LA TOILETTE

- Elle **est sous la douche**, elle **prend une douche**. Il **est dans son bain**, il **prend un bain**. Elle **se savonne** avec **du savon**. Il **se lave la tête** (= **se lave les cheveux**) avec **du shampooing**.

- Il **se brosse** (= **se lave**) **les dents** avec **une brosse à dents** et **du dentifrice**. Il **se peigne** avec **un peigne**, elle **se brosse les cheveux** avec **une brosse** (– ils **se coiffent**).

- Il **met de l'après-rasage** ou de **l'eau de toilette pour homme**, pour sentir bon. Elle **se parfume** : elle met de **l'eau de toilette** ou **du parfum** (le parfum est plus fort que l'eau de toilette).

- Elle **se rince** (= enlève le savon avec de l'eau). Il **s'essuie** avec **une serviette** puis va **se sécher les cheveux** avec **le sèche-cheveux**.

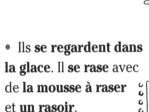

- Ils **se regardent dans la glace**. Il **se rase** avec de **la mousse à raser** et **un rasoir**. Elle met de **la crème** sur son visage.

- Elle **se maquille** avec des **produits de maquillage** : elle **se fait les yeux** et **met du rouge à lèvres**. Le soir, elle **se démaquille** avec **un lait démaquillant** et **du coton**.

- Il **se coupe les ongles** avec **un coupe-ongles**. Elle **se fait les ongles** (= elle **met du vernis à ongles**).

1 Mots croisés : « Les objets de la salle de bains ».

Horizontalement

1. Pour se coiffer.

2. Pour se laver la tête.

3. Pour se raser.

4. Pour se démaquiller.

5. Pour se faire les ongles.

Verticalement

a. Pour se raser.

b. Pour se laver.

c. Pour se parfumer.

d. Pour se brosser les cheveux.

e. Pour se laver les dents.

f. Pour se regarder.

2 Complétez.

1. Après le travail, Sabine aime _____ un bain et rester longtemps dans l'eau : ça lui fait du bien, c'est mieux qu'une _____.

2. « Chéri ! Tu m'entends ? Je suis dans la baignoire ! Je voudrais _____ les cheveux, mais le flacon de _____ est vide, tu peux m'en donner un autre, s'il te plaît ? »

3. Le téléphone sonne :

« – Allô ? Hervé ? Est-ce que je pourrais parler à Sabine ?

– Non, elle est dans son _____. »

4. Ce soir, Sabine et son mari vont au théâtre.

« Il faut te _____ ! Nous sommes en retard !

– Je peux quand même prendre deux minutes pour _____ les yeux et mettre un peu de _____ à lèvres !

– Non, viens, tu pourras te _____ dans la voiture. »

5. Plus tard, après le théâtre…

« Tu as sommeil ! Qu'est-ce que tu attends pour aller te _____ ?

– Tu as raison. Je dois juste _____ les dents et me _____. Ensuite, j'irai me coucher, en espérant que je pourrai m'_____ facilement et que je ne vais pas me _____ au milieu de la nuit. »

LE MÉNAGE ET LE LINGE

(qui ne sont pas toujours des activités quotidiennes...)

Monsieur et madame Landrin n'ont pas de **femme de ménage**. Comme ils n'aiment pas **faire le ménage**, ils se partagent les **tâches ménagères**.

Mme Landrin **passe l'aspirateur**.

Parfois, elle **donne un coup de balai** (elle **passe le balai**, elle **balaie** rapidement).

Son mari **fait (= enlève) la poussière** avec un **chiffon**.

Elle **nettoie** la salle de bains avec **une éponge** et **du produit d'entretien**.

Il **lave le carrelage** (le sol) avec **une serpillière** et **un balai-brosse**.

Elle **cire le parquet** : ça brille !

Il **fait les vitres** (= il **lave les carreaux**).

Madame Landrin **s'occupe du linge**. Elle a **une machine à laver** toute neuve.

Elle **fait** à peu près trois **lessives** par semaine. Elle utilise **une lessive** écologique.

Elle **lave** certains vêtements délicats **à la main**.

Elle **étend le linge** avec des **pinces à linge**.

Quand il est sec, elle le **ramasse**.

Remarque. La *lessive* désigne le produit que l'on met dans la machine à laver mais aussi l'action de laver le linge à la machine.

Les Landrin n'aiment pas non plus **faire le repassage**. Chacun **repasse** ses vêtements (avec **un fer à repasser**),...

les **plie**...

et les **range** dans les placards et armoires.

Heureusement, Léa porte surtout des vêtements qui ne **se repassent** pas.

Il reste une dernière activité quotidienne, réservée à Léa : **sortir** le chien.

E X E R C I C E S

1 Que fait-on après ? Complétez les phrases suivantes.

1. Je lave le linge et ensuite, je l'_____.

2. Je fais la vaisselle et ensuite, je l'_____.

3. Je repasse le linge et ensuite, je le _____.

4. Je me déshabille et ensuite, je me _____.

5. Je me rince et ensuite, je m'_____.

6. Je me lave les cheveux et ensuite, je me les _____.

7. Je me couche et ensuite, je m'_____.

2 Faire ou se faire ?

1. _____ du repassage

2. _____ une lessive

3. _____ les yeux

4. _____ sa toilette

5. _____ les ongles

6. _____ le ménage

7. _____ les vitres

3 Devinez de quels objets on parle.

1. Ils permettent de se démaquiller. _____

2. On les utilise pour enlever la poussière. _____

3. On le prend pour balayer. _____

4. Il est nécessaire pour repasser. _____

5. On en met pour se parfumer. _____

6. On les utilise pour laver le sol. _____

7. On l'utilise pour se laver les mains. _____

8. On les utilise pour se coiffer. _____

4 Laver ou se laver ?

1. _____ les carreaux

2. _____ les mains

3. _____ les cheveux

4. _____ le sol

5. _____ la tête

6. _____ les dents

7. _____ le linge à la main

8. _____ les vitres

5 À partir des indications suivantes, racontez la journée de Fabienne et John. Donnez un maximum de détails et faites des phrases complètes.

Le couple arrive dans la maison de vacances qui est restée fermée tout l'hiver. Il faut commencer par faire le ménage.

1. 10 h – Arrivée dans la maison _____

2. 10 h-12 h 30 – Poussière (chiffon, balai, aspirateur), vitres_____

3. 13 h – Déjeuner au petit restaurant du village _____

4. 14 h 30-17 h – Nettoyage de la salle de bains et de la cuisine, lavage des sols _____

5. 18 h – Douche _____

6. 20 h – Dîner (ils ont apporté de quoi manger), vaisselle_____

7. 21 h 30 – Lecture du journal_____

8. 23 h – Coucher, puis bonne nuit de repos_____

9. Lendemain à 8 h – Réveil et petit déjeuner au soleil dans le jardin : les vacances peuvent commencer. ____

_____

13 LE COMMERCE

LES PETITS COMMERCES

• La France a conservé une tradition de « petits commerces ». Les clients apprécient d'acheter du bon pain frais dans une vraie boulangerie, ou du fromage dans une vraie fromagerie. Ils **demandent conseil aux commerçants**. **La relation** entre petits commerçants et clients joue un rôle important.

• Les **produits** vendus sont parfois « **fermiers** » (= de bonne qualité). Un « poulet fermier », un « camembert fermier » sont meilleurs que les produits **industriels**.

• Les produits « **bio** » (= **biologiques**) se développent de plus en plus : ils sont **naturels** et **respectueux de l'environnement**. On peut les acheter dans **des magasins spécialisés**, au marché ou dans les grandes surfaces. On les reconnaît à différents labels tels que **AB**.

LES SUPERMARCHÉS

• Au centre-ville, les supermarchés ne sont pas immenses. À la périphérie au contraire, on trouve les « **grandes surfaces** », qui sont d'énormes supermarchés, avec un parking pour les voitures. Ces magasins vendent des produits **de consommation courante** (**alimentation**, **vêtements**, **produits pour le ménage**, **vaisselle**, **équipements de sport**…). Les prix sont en général plus bas que dans les petits commerces, mais il faut avoir une voiture pour y aller et il n'y a presque pas de contact humain.

• Tous les supermarchés, grands ou petits, sont divisés en **rayons** : le rayon boucherie, le rayon jus de fruits… Quand le client **fait les courses**, il peut vérifier le prix sur **les étiquettes**. Il achète des produits **en promotion** ou **en solde**. Il remplit **son chariot / son caddie** et va à **la caisse** pour régler. Il peut demander **la livraison à domicile de ses achats**. On peut aussi faire ses courses **en ligne**, par Internet.

LES GRANDS MAGASINS

• Les grands magasins (Galeries Lafayette, Printemps…) sont situés au centre des villes. Ils vendent surtout **des vêtements, de la parfumerie, de la lingerie, des bijoux, de l'électroménager, de la vaisselle, des meubles**.

• Quand on regarde **les vitrines** de l'extérieur, on **fait du lèche-vitrines**. Ensuite, on entre et on demande un renseignement **au vendeur** ou à **la vendeuse**. Quand on achète quelque chose « **pour offrir** », on demande **un paquet-cadeau** : le vendeur **emballe** l'objet dans un joli papier.

– Ce stylo, c'est pour offrir ?

– **Oui, s'il vous plaît** (≠ non, c'est pour moi). **Vous pouvez me faire un paquet-cadeau ?**

1 Vrai ou faux ?

	VRAI	FAUX
1. Les grandes surfaces vendent des produits bio.	☐	☐
2. Les grands magasins ne sont pas situés dans des villages.	☐	☐
3. On peut faire des courses dans des petits commerces.	☐	☐
4. Les produits industriels sont vendus dans des magasins spécialisés.	☐	☐
5. On peut demander une promotion à domicile.	☐	☐
6. Les contacts humains sont plus faciles dans les petits commerces.	☐	☐
7. Les produits fermiers ne sont pas industriels.	☐	☐

2 Choisissez la bonne réponse.

1. Nous faisons les | courses | rayons | au supermarché.

2. Elle adore regarder les | fenêtres | vitrines | des magasins.

3. Vous pouvez | me faire | m'emballer | un paquet-cadeau ?

4. Les | grands magasins | grandes surfaces | ne se trouvent pas au centre-ville.

5. Je regarde le prix sur | le rayon | l'étiquette |.

6. Nous allons dans un grand magasin pour acheter | un vêtement | une voiture |.

7. Mon | chariot | achat | est plein, je vais à la caisse.

3 Complétez.

1. La vendeuse _____ le joli stylo que je vais offrir à mon frère.

2. Il _____ ses courses au petit supermarché à côté de chez lui.

3. Je remplis mon _____ avant de passer à la caisse.

4. Elle _____ un renseignement à la vendeuse.

5. Ce bouquet, c'est pour _____ ? – Non, c'est pour moi.

6. Mes filles adorent _____ du lèche-vitrines.

4 Devinette. De quoi parle-t-on ?

1. Ils sont naturels et respectueux de l'environnement : _____

2. J'en demande un quand je veux offrir un objet : _____

3. Le prix est marqué dessus : _____

4. On les regarde de l'extérieur et avec plaisir : _____

5. Ils sont de bonne qualité mais pas biologiques : _____

5 À vous ! Parlez des commerces dans votre pays.

1. Existe-t-il un équivalent des petits commerçants, des grands magasins et des grandes surfaces ?

2. Vous-même, où et comment faites-vous vos courses ?

LES MARCHÉS

■ Les marchés alimentaires

Il existe une solide et vivante tradition de marchés alimentaires. Ils sont particulièrement appréciés dans les petites villes et à Paris. **Animés** et **pittoresques**, ils permettent d'acheter de bons **produits frais**, **appétissants** et **bien présentés**. **Les marchands**, qui sont parfois **des producteurs locaux**, **servent les clients** qui remplissent **leur panier**.

Remarque. « Je vais au marché. » ≠ « Je reviens du marché. » (deux expressions neutres). « Je vais **faire le marché**. » (= je vais au marché et je vais choisir les produits en fonction de mon humeur, de mes goûts et de la discussion avec le commerçant…)

■ Les marchés aux puces

Toutes les grandes villes ont un marché aux puces. On peut y acheter toutes sortes d'**objets anciens**, de plus ou moins grande valeur : **de vieux meubles**, **de la vaisselle**, **des tableaux**, **des bibelots**, **des vêtements**… Ces marchés

sont un but de promenade. L'atmosphère est **agréable** et **détendue**. L'usage veut que le client **marchande** (= discute) le prix.

LES AUTRES COMMERCES

Comme pour tous les commerces, on emploie soit le nom du magasin (avec la préposition « à » ou « dans »), soit le nom de la personne (avec la préposition « chez »).

• **Chez le pharmacien / à la pharmacie**, on achète **des médicaments** bien sûr, mais aussi du **matériel médical** et des **produits de beauté**. Certains médicaments sont « **en vente libre** », d'autres sont vendus « **sur ordonnance** » du médecin.

• Pour acheter **des livres d'art** ou de littérature, **des livres scolaires**, **des dictionnaires**, **des guides touristiques**, on va **à la librairie**. Souvent, on trouve aussi de **la papeterie** (**des cahiers**, **des enveloppes**, **des stylos**, **des classeurs**, **du papier à lettres**…). Pour acheter son journal, on doit aller **chez le marchand de journaux**.

• **Au bureau de tabac**, on trouve **des cigarettes** et **des cigares**, bien sûr, mais aussi **des billets de Loto** et autres **jeux**, **des timbres**, **des tickets de bus** et **de métro**, **des timbres fiscaux** (pour les passeports, par exemple).

• On achète **un beau bouquet** ou **une plante verte chez le fleuriste**. Si le bouquet est pour offrir, le fleuriste emballe joliment les fleurs. On les donne ainsi, cela fait partie du plaisir du cadeau.

• Pour faire **nettoyer à sec** un vêtement ou un tapis, on va **au pressing / à la teinturerie**. Pour **laver** soi-même, il faut aller à **la laverie**.

1 Choisissez la ou les bonne(s) réponse(s).

1. Au marché aux puces, j'ai acheté | un vase | un bibelot | un bouquet | un médicament | .

2. Les | cahiers | enveloppes | bibelots | stylos | sont en vente à la papeterie.

3. Les | pharmacies | marchands | marchés | sont pittoresques.

4. Nous avons acheté | un dictionnaire | un timbre | une plante verte | à la librairie.

5. Le client | va au marché | sert les clients | marchande | fait le marché | .

6. Au marché, nous avons acheté des | fruits | timbres | jeux | clients | .

2 Associez pour constituer une phrase complète.

1. Les médicaments sont en vente   a. scolaires.

2. Cette jupe en soie doit être nettoyée à   b. médical.

3. Le marché de mon village est très   c. verte.

4. Les enfants ont besoin de livres   d. libre.

5. Pour votre passeport, il vous faut un timbre   e. touristique.

6. Elle aime bien cette plante   f. pittoresque.

7. Le vieux monsieur a besoin de matériel   g. sec.

8. Avant de visiter Dresde, j'achète un guide   h. fiscal.

3 Dans quel(s) commerce(s) doivent-ils aller ?

1. Denise voudrait trouver des tasses en porcelaine du XIXᵉ siècle. _____

2. Sébastien va chercher des roses rouges pour offrir à sa fiancée. _____

3. Joëlle cherche un roman de Camus. _____

4. Matthieu a mal à la tête et a besoin d'aspirine. _____

5. François cherche un vrai fromage de chèvre de production locale. _____

6. Guillaume voudrait se promener en regardant des fruits et des légumes. _____

7. Alain rêve de devenir millionnaire en gagnant au Loto. _____

4 Vrai ou faux ?

	VRAI	FAUX
1. On marchande chez le marchand de journaux.	☐	☐
2. J'ai fait le marché au marché aux puces.	☐	☐
3. On peut emballer les fleurs à offrir.	☐	☐
4. J'achète de la vaisselle à la papeterie.	☐	☐
5. Certains médicaments ne sont pas en vente libre.	☐	☐
6. Pour nettoyer mon manteau à sec, je vais à la laverie.	☐	☐
7. Malheureusement, il n'y a plus de marchés à Paris.	☐	☐

5 À vous ! Dans votre pays, existe-t-il des marchés et des marchés aux puces ? Si oui, y allez-vous ? Pourquoi ?

FAIRE LE MARCHÉ

■ Les produits

On peut demander…

un morceau, un beau
(≠ **petit**) **morceau de**…
fromage, viande…

un pot de…
confiture, crème

une barquette de…
fraises, framboises

une boîte de…
thon, petits pois

une botte de…
radis, carottes…

une plaque de…
beurre

une tablette de…
chocolat

une bouteille de…
vin, jus de pomme

une tranche (fine ≠
épaisse) de… jambon

un tube de… mayonnaise,
concentré de tomates…

un paquet de…
biscuits

un flacon de…
parfum, eau de
toilette

Remarques. **1.** En général, on ne demande pas un « gros » morceau, un « gros » poulet, mais un « **beau** » morceau / un « **beau** » poulet. **2.** Le terme de « boîte » signifie « **une boîte de conserve** » ou « une boîte **en métal, en carton**… ».

■ Les quantités

un kilo de… (= 1 000 grammes)   un litre de…

une livre de… / 500 g de…   un demi-litre de…

une demi-livre de / 250 g de…   un quart de litre de…

une dizaine de… (environ 10)   une douzaine de… (environ 12)

une vingtaine de… (environ 20)   une trentaine de… (environ 30)

LE FROMAGER : Vous voulez un camembert **entier** ou un **demi-camembert** ?

LE CLIENT : Je vais prendre **la moitié** que vous avez là, cela suffira.

■ Demander un produit

Je voudrais un kilo de tomates bien mûres, s'il vous plaît.

Vous pouvez me donner une livre de cerises, s'il vous plaît ?

Il me faudrait deux barquettes de myrtilles, s'il vous plaît.

Donnez-moi la moitié de ce morceau de comté, s'il vous plaît.

Est-ce qu'il vous reste des croissants ? *(juste avant la fermeture du magasin)*

Est-ce que vous avez du camembert au lait cru ?

Est-ce que vous auriez des stylos violets ?

Remarque. Le verbe « avoir » au présent ou au conditionnel change de sens. Comparez ces deux questions, dans une pâtisserie. *Est-ce que vous avez des tartes aux pommes ?* – Oui (ou non). *Est-ce que vous auriez des tartes à la mangue et à l'ananas ?* (Ce n'est pas certain. Peut-être oui, peut-être non.)

1 Complétez (plusieurs solutions sont parfois possibles). Je voudrais…

1. _____ de miel.

2. _____ d'huile d'olive.

3. _____ de framboises.

4. _____ de Chanel n° 5.

5. _____ de pâté.

6. _____ d'oignons nouveaux.

7. _____ de biscottes.

8. _____ de dentifrice.

2 Choisissez la bonne réponse.

1. Roland achète un demi-litre / une livre d'olives.

2. Fabrice a besoin d' une douzaine / un kilo d'œufs.

3. Rémi cherche le tube / flacon de mayonnaise.

4. Béatrice a acheté un beau / gros canard à rôtir.

5. Vous pouvez me donner une botte / boîte de radis ?

6. Il me faudrait une tablette / tranche de chocolat au lait.

3 Trouvez une autre manière de dire.

1. Je voudrais 500 grammes de haricots verts. → _____

2. Il me faudrait environ dix oranges. → _____

3. Donnez-moi 250 grammes de beurre. → _____

4. Est-ce que vous auriez environ quinze boîtes de sardines ? → _____

5. Je voudrais deux demi-litres d'huile de tournesol. → _____

4 Chez quel(s) commerçant(s) pourriez-vous entendre les phrases suivantes ?

1. « Vous avez reçu *Le Monde* d'aujourd'hui ? » → _____

2. « Vous en voulez une barquette ? » → _____

3. « C'est pour offrir ? » → _____

4. « Vos camemberts sont fermiers ? » → _____

5. « Vous avez une ordonnance ? » → _____

6. « Il me faudrait une livraison à domicile. » → _____

7. « Je vous prends ces tasses et ce petit vase pour 15 € ! » → _____

8. « Où sont les caddies, s'il vous plaît ? » → _____

9. « Vous auriez un dictionnaire français-roumain ? » → _____

10. « Donnez-m'en la moitié, s'il vous plaît ! » → _____

LES PRIX

■ Demander le prix

• Dans la plupart des situations de commerce, on entend les phrases suivantes :
Je voudrais savoir le prix des chaussures noires qui sont dans la vitrine, s'il vous plaît.

Quel est le prix du billet Paris/Bruxelles, s'il vous plaît ?

Combien coûte la location d'une voiture pour une journée ?

• Au marché, le prix des produits change. On demande familièrement :
Les cerises sont à combien* ? C'est combien*, les abricots ?

• Pour parler du total, on emploie la structure :
– **Ça fait combien ?**
– **Ça fait** 23,71 euros.

• Quand on paye une personne (et non un produit) ou quand on va rembourser un ami, on dit :

– **Je te dois combien ?**   – **Je vous dois combien ?**
– **Tu ne me dois rien** (= c'est **gratuit**).   – **Vous me devez 65 €.**

■ Commenter le prix

• En général, les Français ne disent pas souvent à un vendeur « c'est trop cher ». Souvent, ils ne disent rien, ou simplement « **je vais réfléchir** » ou peut-être « **ce n'est pas donné !** »

• En privé, à un(e) ami(e), on se sent beaucoup plus libre. On peut dire :
Ça coûte un peu trop cher < (trop) cher < beaucoup trop cher !
C'est de la folie ! = Ça coûte « les yeux de la tête »* ! = Ça coûte une fortune !

• Si on ne conteste pas le prix, on peut dire :
C'est tout à fait raisonnable. = C'est un prix normal.

• Si on « **a fait une bonne affaire*** », si on a trouvé un produit pas très cher, on dit :
C'est donné ! = Ça ne coûte rien !
Je l'ai acheté « **pour une bouchée de pain** »* ! = Je l'ai eu « **pour trois fois rien** »* !

LE SERVICE

Dans la plupart des grands magasins, il existe **un service après-vente**, qui assure la **réparation** et **l'entretien** des appareils. Si on est mécontent d'un produit, on peut faire **une réclamation**.

Dans les grands magasins et les grandes surfaces, il est possible de **changer**, **échanger** ou **se faire rembourser un produit**, mais c'est moins courant que dans d'autres pays. Il faut alors avoir **le ticket de caisse** ou **la facture** (= un document officiel qui prouve l'achat).

E X E R C I C E S

1 Choisissez la bonne réponse.

1. Les abricots sont | combien | à combien | ?

2. Ça coûte | une fortune | beaucoup |.

3. Les courgettes | sont | font | à combien ?

4. Je vous | coûte | dois | combien ?

5. Le billet d'entrée ne | coûte | fait | rien !

6. C'est de la | folie | tête | !

7. 245 €, ce n'est pas | gratuit | donné | !

8. Je suis mécontent de ce produit, je vais faire une | réparation | réclamation |.

9. Pour être remboursé, vous devez apporter | le ticket | la facture | de caisse.

2 Comment demanderiez-vous le prix dans ces situations ?

1. Vous êtes au marché, vous parlez des fraises. → _____

2. Vous êtes dans une boutique, vous parlez d'un manteau. → _____

3. Vous êtes chez le médecin, vous voulez régler la consultation. → _____

4. Vous allez payer les oignons et les tomates au marchand. → _____

5. Vous désirez louer un vélo pour une demi-journée. → _____

6. Vous allez acheter un ticket de bus. → _____

7. Vous allez rembourser un ami. → _____

3 Quel(s) commentaire(s) sur le prix serai(en)t approprié(s) ?

1. Vous avez acheté une table et des chaises au marché aux puces. Vous avez bien marchandé.

→ _____

2. Vous désirez louer une petite chambre d'hôtel, on vous annonce 200 € comme prix !

→ _____

3. Vous venez d'essayer un pantalon. Vous pensiez qu'il coûtait 80 €, mais il coûte en réalité 300 €.

→ _____

4. Vous avez acheté une voiture d'occasion pour un prix très bas.

→ _____

5. Vous ne contestez pas le prix de ce livre d'art.

→ _____

6. Vous regardez le prix d'un château du XVIIe siècle à vendre…

→ _____

14 CUISINE – RESTAURANT – CAFÉ

FAIRE LA CUISINE

Les Français sont réputés **gourmands** : ils apprécient **la bonne cuisine**, et beaucoup d'entre eux aiment **faire la cuisine**. Ils utilisent **des livres de cuisine** et échangent **les recettes** de leurs plats favoris. **Un bon cuisinier** ou **une bonne cuisinière** est **un** vrai « **cordon-bleu** ». Quand on fait la cuisine professionnellement, on est **chef cuisinier**. N'oublions pas que **la cuisinière** est aussi un équipement électroménager qui permet de faire la cuisine, précisément…

QUELQUES USTENSILES DE CUISINE

une poêle

un manche

une casserole

une louche

un couvercle

une cocotte

une cocotte-minute

une râpe à fromage

une passoire

un moulin à café

une cafetière électrique

un mixeur

un batteur

un grille-pain

un rouleau à pâtisserie

une spatule

un fouet

une planche à découper

un plateau

des couverts à salade

une manique

un plat à four

un saladier

un presse-agrumes

un moule à gâteau

un ouvre-boîte

un tablier

une balance

une bouilloire

un entonnoir

E X E R C I C E S

1 Choisissez la bonne réponse.

1. Nous faisons cuire les légumes dans une cocotte- | vapeur | minute |.

2. Pour faire un gâteau, je me sers d' | un moule | une moule |.

3. Il pose | le couvercle | la couverture | sur la casserole.

4. | La manche | Le manche | du couteau est en bois.

5. Pour faire du café, on utilise | un moulin à café | une cafetière |.

6. Elle apporte les verres pour l'apéritif sur un | plat | plateau |.

7. L'eau du riz passe dans | un passage | une passoire |.

2 De quel(s) ustensile(s) ces personnes auront-elles besoin ?

1. Delphine veut faire des crêpes. → _____

2. Claire prépare un gâteau au chocolat. → _____

3. Rachid doit faire cuire des légumes très vite. → _____

4. Dora a fait cuire le riz et doit maintenant enlever l'eau. → _____

5. Anne doit monter des œufs en neige. → _____

6. Olivier voudrait couper la viande en morceaux. → _____

7. Christian va remuer la salade. → _____

8. Vincent voudrait peser de la farine. → _____

9. Claudine va préparer un gratin. → _____

10. Réjane voudrait ouvrir une boîte de conserve. → _____

3 Complétez (plusieurs solutions sont parfois possibles).

1. Avant de _____ la cuisine, je mets mon _____ pour ne pas me salir.

2. Pour préparer une mousse au chocolat, je dois battre les œufs en neige avec le _____ ou le _____ et faire fondre le chocolat dans une _____ sur ma _____ à gaz.

3. Pour verser de l'huile dans cette bouteille, il faut un _____.

4. J'étale la pâte avec un _____ à pâtisserie, puis je la pose dans le _____ à gâteau.

5. Je prends une _____ pour sortir du four le gratin de courgettes.

6. Il reste de la sauce dans la _____, où est la _____ pour l'enlever ?

4 À vous !

1. Faites-vous la cuisine ? Si oui, quels ustensiles utilisez-vous le plus souvent ? Quelles sont vos spécialités ? Pouvez-vous donner une de vos recettes favorites ?

2. Dans votre langue, existe-t-il un mot ou un concept correspondant à « gourmand » ?

LES REPAS À LA MAISON

■ Le petit déjeuner

Le matin, les Français mangent en général des **tartines**, quelquefois **grillées** : du **pain beurré** (de la baguette ou une tranche de **pain de campagne**), avec, éventuellement, de **la confiture** ou **du miel**. Dans **un grand bol** ou **une tasse**, on verse **le thé**, **le café**, **le chocolat chaud** ou **le lait**. Certains prennent **des céréales**, **du muesli**, des **œufs à la coque** (cuits à l'eau), servis dans **des coquetiers** et boivent un **jus de fruits frais**. **Les croissants**, grande spécialité française, se mangent souvent dans les bistrots, ou à la maison pour une occasion spéciale (le dimanche, par exemple).

■ Le déjeuner (entre 12 h et 14 h)

Il comporte en général **une entrée**, **un plat de viande** ou **de poisson**, accompagné de légumes, puis **un fromage** ou **un dessert** (**un yaourt**, **un fruit** constituent des desserts courants à la maison). **Les végétariens** ne mangent pas de viande. Si nécessaire, **un sandwich** permet de manger « **sur le pouce** » (= très vite).

■ Le goûter (vers 16 h)

C'est un petit repas pour les enfants qui sortent de l'école. Il ressemble beaucoup au petit déjeuner. Souvent aussi, les mamans achètent **un pain au chocolat** ou **une brioche** à la pâtisserie du coin.

■ Le dîner (entre 19 h et 21 h)

Le dîner est un facteur de **sociabilité** très important. La famille, les amis **se réunissent** pour **partager** un bon repas. **La convivialité** (= manger ensemble) permet de discuter, de se connaître et de développer des relations, dans **une atmosphère** détendue et vivante.

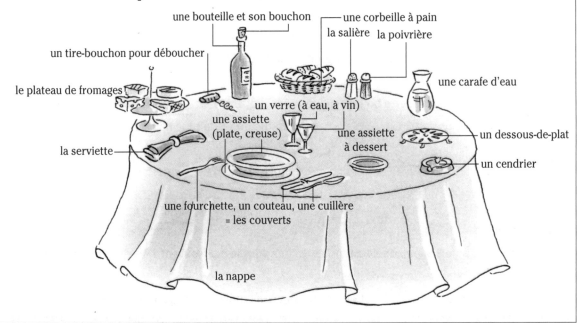

une bouteille et son bouchon — une corbeille à pain
la salière   la poivrière
un tire-bouchon pour déboucher
une carafe d'eau
le plateau de fromages
un verre (à eau, à vin)
une assiette (plate, creuse)
une assiette à dessert — un dessous-de-plat
la serviette
un cendrier
une fourchette, un couteau, une cuillère = les couverts
la nappe

E X E R C I C E S

1 Le petit déjeuner, un matin comme les autres... Replacez les mots suivants dans le dialogue.

cafetière – lait – beurre – miel – bol – pain – café – confiture

Élodie : Chéri, le petit déjeuner est prêt ?

Vincent : Oui, mais je ne trouve pas le _____.

Élodie : Il est dans le frigo, dans un beurrier jaune.

Vincent : Est-ce que tu veux de la _____ de framboises ?

Élodie : Oui, mais je voudrais aussi du _____. Le _____ est prêt ?

Vincent : Oui, la _____ est sur la table. Je te le verse tout de suite ?

Élodie : Oui, un grand _____, s'il te plaît, mais sans _____, je le préfère noir, aujourd'hui. Dis, chéri, il y a du _____ frais ?

Vincent : Oh zut, il n'y en a plus ! Bon, je descends à la boulangerie. Je reviens tout de suite !

2 Complétez cet extrait de courrier électronique avec les mots de la liste.

bouteille – couteau – serviettes – tire-bouchon – nappe – assiettes – couverts – verres

[...] et nous avons pique-niqué. J'avais emporté une _____ à carreaux que nous avons posée sur l'herbe. Nous avons mangé dans des _____ en cartons avec des _____ en plastique, mais il est difficile de couper sa viande sans un vrai _____ ! Comme d'habitude, j'avais oublié quelque chose. Cette fois-ci, c'étaient les _____ en papier. Nous avons dû utiliser nos mouchoirs. Heureusement, je n'avais pas oublié le _____ pour ouvrir la _____ de bordeaux ! Nous avons bu le vin dans des _____ en plastique aussi. [...]

3 À vous ! Parlez de votre pays et de votre culture.

1. Décrivez le petit déjeuner traditionnel dans votre pays. Vous-même, que prenez-vous au petit déjeuner ?

2. Quels sont les horaires habituels et la structure des repas ?

3. Les objets présentés sur la page 94 vous sont-ils familiers ? Quels autres objets employez-vous ?

4. Vous arrive-t-il de manger sur le pouce ? Comment faites-vous ? Pourquoi ?

5. Pouvez-vous décrire un repas de fête ?

6. La convivialité est-elle une valeur importante ? Et pour vous ?

QUE BOIRE ?

• Pour **l'apéritif**, on peut prendre **un kir**, **un porto**, **un whisky**, **un gin**, **un cocktail**, ou **du champagne**, toujours accompagné d'**amuse-gueules** (cacahuètes, pistaches, biscuits d'apéritif, olives…), pour éviter d'avoir « **la tête qui tourne** »… Si on ne boit pas d'**alcool**, on peut prendre **un jus de fruits**.

• Aux repas principaux, les Français boivent **du vin**, de **la bière** ou parfois **des sodas**. Les **gastronomes** savent choisir le vin qui va avec le plat : un **bon vin blanc sec** avec le poisson, **du vin rouge** avec les viandes et le fromage, **un vin rosé bien frais** avec **une grillade**, surtout en été. Avec **les crêpes**, on boit **du cidre**.

• On distingue un « **bon petit vin** » (= un vin pas trop cher mais de bonne qualité) d'un « **grand vin** » (= un vin connu, cher, et de grande qualité). Il est usuel de parler du vin par régions : « Vous préférez **le bourgogne** ou **le bordeaux** ? » On peut aussi donner le nom du vin : « J'adore **le sancerre**, **le saint-émilion** et **le sauternes**. »

• Les Français sont de grands consommateurs d'**eau minérale en bouteille**, mais **l'eau du robinet** est parfaitement **potable** (= on peut la boire). **Une carafe d'eau** est gratuite dans tous les restaurants et cafés (tout comme le pain, d'ailleurs).

• À la fin du repas, on prend **un café fort** (**un express**) ou **une infusion** (**de menthe, de camomille, de verveine…**). On peut aussi préférer l'alcool et prendre un **digestif**, comme **le cognac**, **l'armagnac**, **la prune**, **le calvados**…

AU RESTAURANT

• **Aller au restaurant** constitue « **une sortie** », c'est-à-dire un plaisir comme le théâtre ou le concert. Le repas dure assez longtemps pour avoir une bonne conversation amicale.

• Les restaurants proposent **une carte**, **une carte des vins** et **des menus à prix fixes** / **des formules**. **Le service est compris** dans le prix, mais il est d'usage de **laisser un pourboire**.

• On ne **partage** pas toujours le coût de **l'addition**. Il arrive que **le serveur** apporte l'addition et que plusieurs personnes se disputent pour **régler** : « C'est pour moi ! – Non, c'est moi qui invite ! » On peut annoncer, avant le repas : « **Je vous / t'invite** », ce qui signifie clairement que l'on paiera l'addition.

• Si vous dînez dans **un « grand restaurant »** (= **luxueux**), la carte est parfois difficile à comprendre. Demandez des explications au **maître d'hôtel**, qui **prendra la commande**. Même dans les restaurants plus modestes, il est courant de **demander des conseils au serveur** ou à **la serveuse**, qui **servent** les clients. On les appelle en disant : « monsieur / madame, s'il vous plaît ! »

E X E R C I C E S

1 **À propos des boissons. Choisissez la ou les bonne(s) réponse(s).**

1. Les Français boivent souvent | du café | une infusion | du vin | pendant les repas.

2. Le cognac est un | digestif | alcool | apéritif | vin blanc |.

3. On boit du café | avant | après | pendant | le repas.

4. La verveine est | une infusion | un thé | un jus de fruit |.

5. L'eau du robinet est | minérale | comestible | potable |.

6. Le kir est un | vin | apéritif | thé | digestif |.

7. Le vin peut être | rouge | bordeaux | frais | sec | blanc |.

2 **Vrai ou faux ?**

	VRAI	FAUX
1. Le bourgogne est un cidre.	☐	☐
2. Le sauternes est un vin.	☐	☐
3. Le service est compris dans l'addition.	☐	☐
4. La carafe d'eau n'est pas payante.	☐	☐
5. On ne boit pas de café en apéritif.	☐	☐
6. En général, on ne laisse pas de pourboire.	☐	☐
7. Le maître d'hôtel consulte la carte des vins.	☐	☐
8. J'ai bu trop de jus de raisin, j'ai la tête qui tourne !	☐	☐

3 **Devinette. De quoi ou de qui parle-t-on ?**

1. On la demande à la fin du repas. → _____

2. Au restaurant, on en laisse un si on est content. → _____

3. On la consulte pour choisir le vin. → _____

4. On les mange avec l'apéritif. → _____

5. On la sert en carafe. → _____

6. Il est compris dans le prix du plat. → _____

7. Il accueille les clients dans un restaurant élégant. → _____

4 **À vous ! Parlez de votre pays et de votre culture.**

1. Quels types de restaurants sont courants dans votre pays ? Y allez-vous souvent ? Quelle cuisine préférez-vous ? Pourquoi ?

2. Quelles sont les boissons les plus courantes pendant les repas ? Vous-même, que prenez-vous ?

3. Invite-t-on facilement au restaurant ou plutôt à la maison ? Pourquoi ?

4. Dans les restaurants, le service est-il compris ? Laisse-t-on un pourboire ?

5. Si vous mangez avec des amis au restaurant, qui règle l'addition, en général ?

AU CAFÉ

Il y a partout des **cafés** = **bistrots** en France, même dans de très petits villages. Aller au café constitue **une distraction**, mais il est aussi courant d'y **travailler** et d'y **étudier**. Un client peut rester longtemps à une table de café, avec **une** simple **consommation**. Quand il fait beau, on peut s'installer à **la terrasse**.

B U F F E T		B O I S S O N S	
SANDWICH *(au jambon, au fromage, au pâté…)*	4,50 €	CAFÉ	2,40 €
		DÉCA *(un café décaféiné)*	2,40 €
CROQUE-MONSIEUR	6,20 €	CAFÉ CRÈME	4,20 €
OMELETTE *(au jambon, au fromage, aux pommes de terre)*	8,50 €	THÉ *(nature, au lait, au citron)*	4,60 €
		CHOCOLAT CHAUD	4,20 €
ASSIETTE DE FRITES	6,00 €	DEMI PRESSION *(bière)*	4,50 €
PIZZA	8,00 €	JUS DE FRUIT	4,50 €
QUICHE LORRAINE	8,00 €	EAU MINÉRALE	3,90 €
ASSIETTE DE CRUDITÉS *(carottes, concombres… crus)*	7,70 €	INFUSION *(de verveine, de menthe…)*	4,60 €

QUELQUES COMMENTAIRES

La cuisine et le restaurant constituent en France un important sujet de conversation, qui n'est pas superficiel, mais culturel ! Quand on est invité chez quelqu'un, il est toujours poli de faire des compliments sur les plats.

Et maintenant des convives mécontents…

Remarque. Ne confondez pas « c'est chaud » (= la température est élevée) et « c'est **fort / relevé** » (= il y a trop de piment, par exemple).

E X E R C I C E S

1 **Au café. Que peuvent-ils choisir dans la carte de la page ci-contre ?**

1. Nicolas a très soif, mais ne prend pas d'alcool. → _____

2. Sébastien voudrait manger, mais il n'a que 5 € en poche. → _____

3. Léa est végétarienne et voudrait un plat chaud. → _____

4. Qu'est-ce que Fabrice peut boire avec 3 € en poche ? → _____

5. Barbara est au régime, elle ne peut manger que des légumes. → _____

6. Sami veut boire quelque chose de chaud. → _____

2 **Où peut-on entendre les phrases suivantes ? Au café ? Au restaurant ? Les deux ?**

1. Bonjour, messieurs-dames, vous avez réservé ? → _____

2. Où sont les toilettes, s'il vous plaît ? → _____

3. Un demi, pour moi. → _____

4. Qu'est-ce que vous nous conseillez, comme vin ? → _____

5. Vous désirez un apéritif ? → _____

6. L'addition, s'il vous plaît ! → _____

7. Je vais prendre un foie gras et des coquilles Saint-Jacques. → _____

8. Un sandwich au fromage et un croque-monsieur. → _____

9. Je vais prendre des crêpes flambées au Grand-Marnier. → _____

10. Nous prendrons trois coupes de champagne. → _____

3 **Vrai ou faux ?**

	VRAI	FAUX
1. Je prends « un demi » = je bois un verre de bière.	☐	☐
2. Le plat est trop chaud = il est trop fort.	☐	☐
3. Ce n'est pas fameux = ce n'est pas très bon.	☐	☐
4. Ce plat est appétissant = on le mange au début du repas.	☐	☐
5. Il commande une infusion = il voudrait boire un jus de fruit.	☐	☐
6. Ce steak est dur = il n'est pas tendre.	☐	☐
7. Cette sauce est fade = elle a du goût.	☐	☐
8. Ce plat est lourd = il est trop relevé.	☐	☐

4 **Imaginez ce qu'elle dit.**

5 **À vous ! Dans votre culture, fait-on des commentaires sur ce qu'on mange ? Doit-on faire des compliments ? Lesquels ?**

15 LOISIRS – JEUX – SPORTS

LE TEMPS LIBRE

• Pendant **les loisirs** (= le temps libre), on **se repose**, on **se détend** ou on **se distrait**, on a des **distractions**. On **consacre** son temps libre à **des activités** de loisir. Si on **s'ennuie**, si on trouve le temps long, on essaie de **s'occuper**, de trouver **une occupation**.

« Maintenant que je suis en retraite, j'ai du temps libre, mais je le consacre à de nombreuses activités ! Je reste très actif ! »

• Les jeunes aiment **sortir**. Ils sortent **en boîte*** (= **en boîte de nuit** = **en discothèque**) : ils **vont danser**. Sinon, ils **font la fête**, ils organisent **des soirées**.

• On peut aussi aller **faire un tour**, aller **se promener** / **se balader***. En ville, les filles aiment bien « **faire les magasins** » (= aller dans les boutiques de mode).

• Jeanne **fait du tricot** : elle **tricote** des pulls en laine à ses enfants. Elle fait aussi de **la couture** : elle **coud** très bien, elle fait de beaux vêtements !

■ Le jardinage et le bricolage

• Agnès **fait du jardinage**. Elle a un beau jardin autour de sa maison, qu'elle **entretient** avec soin. Elle **jardine** tous les jours avec **ses outils** de jardinage.

• Jean-Claude, son mari, **fait du bricolage** *(voir chapitre 11)*. Il a **un atelier** et **il bricole** avec de nombreux outils.

■ Les jeux des enfants

• Les enfants jouent avec **des jouets** :

des petites voitures

un puzzle

une poupée Barbie

un jeu de construction

• Pour le carnaval, mes enfants **se déguisent** : ma fille porte **un costume de princesse**, et mon fils **est déguisé en** dinosaure ! Les deux adorent **les déguisements** !

■ Les jeux de société

Quand on joue à plusieurs, on appelle cela un « jeu de société ».

– Veux-tu faire **une partie de cartes** ?

– D'accord. D'abord, il faut **battre** les cartes.

les dominos

les dames

les échecs

1   Vrai ou faux ?

	VRAI	FAUX
1. Un jeu de construction est un jeu de société.	☐	☐
2. Une poupée est un jouet.	☐	☐
3. On joue tout seul aux dames.	☐	☐
4. Elle fait les magasins = elle adore se déguiser.	☐	☐
5. Stéphanie ne sait pas quoi faire = elle s'ennuie.	☐	☐
6. Alice et Antoine ont envie de se balader, donc ils vont en boîte.	☐	☐

2   **Complétez par un verbe approprié.**

1. Ma fille adore les vêtements, elle passe ses samedis à _____ les magasins !

2. Pour une fête, Thomas _____ en Martien ! Personne ne l'a reconnu.

3. Est-ce que tu peux _____ les cartes ? Elles ne sont pas bien mélangées !

4. Théo et Fabien _____ en boîte, ce soir.

5. La petite Manon trouve le temps long, elle _____.

6. Ce dimanche, je n'ai pas travaillé, je _____ toute la journée.

7. Il _____ son temps libre au bricolage et au jardinage.

3   **Associez les phrases de sens équivalent.**

1. Il va danser.

2. Il se détend.

3. Il se balade.

4. Il bricole.

5. Il s'ennuie.

6. Il se déguise.

a. Il se promène.

b. Il porte un costume.

c. Il se sert de ses outils.

d. Il sort en boîte.

e. Il se repose.

f. Il trouve le temps long.

4   **Quel(s) loisir(s) conseilleriez-vous à ces personnes ?**

1. Olivier est patient et adore les combinaisons mathématiques. _____

2. Yasmina aime beaucoup la mode ! _____

3. Justin aime danser et déteste se coucher tôt. _____

4. Laurence aime la nature, les fleurs et les plantes. _____

5. La petite Julie adore les bébés ! _____

5   **À vous !**

1. Comment occupez-vous vos loisirs ?

2. Quels jeux de société connaissez-vous ? Les avez-vous pratiqués ? Pourquoi ?

3. Avez-vous déjà porté un déguisement ? Si oui, dans quelles circonstances ? En quoi étiez-vous déguisé(e) ?

4. Avec quels jouets les enfants de votre entourage s'amusent-ils ?

FAIRE DE L'EXERCICE

Pour être en bonne santé, il est important de **faire de l'exercice**, de pratiquer **une activité sportive**.

Beaucoup sont inscrits dans **un club de gym**, ils « **vont à la gym** », **font de la gym** : de **la musculation**, **du stretching**, de **l'aérobic**… D'autres font simplement **du jogging** (= de **la course à pied**). Ils **courent** dans les parcs ou dans la campagne.

LA PRATIQUE DU SPORT

• **Un sportif** (-ive) de haut niveau **s'entraîne** régulièrement : il a **un entraînement** tous les jours avec **un entraîneur**. Il est bien **entraîné**.

• Il pourra **participer à des matchs, à des compétitions**. S'il **gagne**, il est **le vainqueur, le gagnant**(e), il sera félicité pour **sa victoire**. S'il **perd**, il est **le perdant**(e), il regrettera **sa défaite** et voudra **prendre sa revanche sur son adversaire**.

• **Le champion** (-ne) est le meilleur de **la compétition**. Il participe à des **championnats**. Il peut devenir champion de France, d'Europe, du monde, ou champion **olympique**, s'il **obtient une médaille d'or**, **d'argent** ou **de bronze** aux **Jeux olympiques**.

• Le champion **détient le record du monde** (= la meilleure performance mondiale). Il cherche à **battre** le record du monde (= faire mieux que le précédent).

• On lutte contre **le dopage** (= la prise de substances illicites), mais malheureusement, chaque année, des sportifs sont **dopés**.

Remarque. Le mot « entraîneur » dans le sens sportif n'existe qu'au masculin, tout comme le terme « vainqueur »…

■ Le tennis

• On joue au tennis sur **un court** (1) divisé en deux par **un filet** (2), avec **une raquette** (3) et **une balle** (4). Les joueurs **disputent un match** pendant **un tournoi**. Les meilleurs joueurs participent, par exemple, au tournoi de Roland-Garros, qui fait partie **du grand chelem** (= les tournois les plus prestigieux).

• On peut aussi jouer au **tennis de table** (= au **ping-pong**) (5) ou au **squash** (6).

E X E R C I C E S

1 Choisissez la ou les bonne(s) réponse(s).

1. Il a perdu | le match | la défaite | la compétition | la victoire | .

2. La grande | victoire | défaite | gagnante | raquette | de ce tournoi est la Russe.

3. Il détient | le tournoi | le record | la coupe | la médaille | du monde.

4. Les joueuses | se disputent | disputent | détiennent | participent à | un match.

5. Elle a obtenu | un tournoi | un entraînement | une médaille | un championnat | .

6. Le champion a | disputé | gagné | battu | perdu | le record du monde.

7. Certains sportifs, malheureusement, sont | entraînés | dopés | gagnants | vainqueurs | .

8. | L'entraîneur | le tournoi | la championne | le sportif | a gagné le match.

2 Associez pour constituer une phrase complète.

1. La sportive s'est beaucoup entraînée   **a.** de saut en hauteur.

2. Cet athlète détient le record du monde   **b.** pour rester en bonne santé.

3. Ce joueur de tennis participera   **c.** pour sa victoire.

4. La dame fait de l'exercice   **d.** sa revanche.

5. Le perdant prendra bientôt   **e.** au grand chelem.

6. On a félicité le vainqueur   **f.** pour la prochaine compétition.

3 Complétez ce texte par des termes appropriés.

1. Thibaut est un bon _____ de tennis. Il joue très bien.

2. Il _____ au moins trois fois par semaine avec un bon _____.

3. Thibaut _____ souvent à des _____, mais pas encore au grand

_____, même s'il rêve de Roland-Garros !

4. La semaine dernière, il était heureux, car il a encore _____ un match difficile.

5. Il vient juste de s'acheter une nouvelle _____.

6. Il va _____ un autre match la semaine prochaine.

7. Ce match sera dur, car son _____ est un excellent joueur, lui aussi !

4 Devinettes. De qui ou de quoi parle-t-on ?

1. Elle peut être d'or, d'argent ou de bronze._____

2. C'est l'ensemble des grands tournois de tennis._____

3. Il a gagné la compétition. _____

4. Il prépare les sportifs à des compétitions. _____

5. C'est la meilleure performance mondiale._____

6. C'est l'objet qui divise le court en deux parties._____

LES SPORTS D'ÉQUIPE

Il faut plusieurs **joueurs** pour constituer **une équipe**.

Le football (= « **le foot** »), **le rugby**, **le volley-ball** (« **le volley** »), **le hand-ball** (« **le hand** »), **le basket-ball** (« **le basket** ») se pratiquent sur **un terrain**, avec **un ballon**.

Un stade est un terrain entouré de **gradins**, où **le public** peut s'asseoir. À la moitié du match, on fait une pause : c'est **la mi-temps**.

L'arbitre vérifie que les joueurs **respectent les règles du jeu**. Il **siffle** si un joueur commet **une faute**, et ce dernier reçoit **un carton jaune** ou, plus grave, **un carton rouge**.

Les supporters viennent encourager leur équipe préférée. Beaucoup de jeunes aiment porter **le maillot** (= le T-Shirt) de leur sportif préféré.

Pour gagner un match de foot, il faut **marquer des buts**. Ce n'est pas facile si **le gardien de but** de l'équipe **adverse** est bon !

Nantes a gagné trois buts à zéro = Nantes a gagné « trois-zéro ».

Les meilleurs **footballeurs** participent à **la Coupe du monde** et les joueurs de rugby au **Tournoi des six nations**.

LES SPORTS INDIVIDUELS

■ L'athlétisme

L'athlétisme regroupe plusieurs **disciplines**. **Les athlètes** participent à diverses **épreuves** :

- **La course à pied** : le coureur a couru le marathon de Paris.

- **Le saut en hauteur, en longueur**…
« L'épreuve de saut en longueur **a été remportée** (= gagnée) par un athlète inconnu du public. »

- **Le lancer (de poids, de disque…)**

■ Le patinage artistique

Le patineur (-euse) **patine** sur **une patinoire**.

■ Le cyclisme

Un(e) **cycliste** pratique **la bicyclette / le vélo**. Il participe à des **courses cyclistes** (par exemple le **Tour de France**). Pour avancer, il doit **pédaler** !

■ L'équitation

Le cavalier (-ière) **fait du cheval / de l'équitation** : il **monte à cheval** dans **un manège**. Il participe à **des concours hippiques**, à **des courses de chevaux**.

E X E R C I C E S

1 Choisissez la bonne réponse.

1. | L'athlète | le public | le supporter | participe à plusieurs épreuves.

2. Le gardien de but doit | marquer | respecter | courir | les règles du jeu.

3. Comme le joueur a commis | un carton rouge | un saut | une faute |, l'arbitre a sifflé.

4. Le public est installé dans le | terrain | manège | stade |.

5. | Le cavalier | l'athlète | le cycliste | participe à un concours hippique.

6. Aziz est tout content de porter le | cheval | maillot | carton | de son footballeur préféré.

2 Complétez les mots croisés suivants.

Horizontalement :

1. Il peut être en longueur, en hauteur…

2. C'est l'endroit où les patineurs s'entraînent.

3. Il comporte des gradins.

4. C'est un vêtement que portent les footballeurs.

5. Il peut être de poids, de disque…

6. C'est lui qui vérifie le bon déroulement d'un match.

7. Si on en marque un, on peut gagner.

8. C'est l'ensemble des joueurs.

Verticalement :

a. Il peut être jaune ou rouge.

b. Elle peut-être de France, d'Europe, du Monde…

c. Il permet de jouer au foot, au volley, au rugby…

d. C'est un ensemble de matchs.

e. Elle peut être cycliste, de chevaux, à pied…

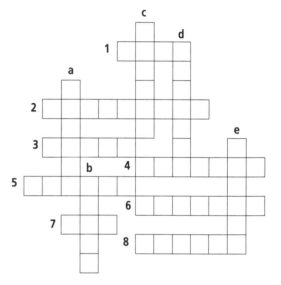

3 Complétez par le nom approprié.

1. Ce grand _____ a gagné le Tour de France.

2. Le _____ est une course à pied de 40 kilomètres dans une ville.

3. Les _____ s'entraînent pour le match de foot de samedi.

4. Le _____ empêche l'équipe adverse de marquer des buts.

5. Le _____ est assis sur les gradins.

6. Les _____ encouragent leur équipe préférée.

7. Les _____ participent à des épreuves olympiques.

4 À vous !

Que pensez-vous des sports d'équipe ? En pratiquez-vous un ? Suivez-vous l'actualité sportive de votre pays/région/ville ? Pourquoi ? Quelles sont les courses ou les compétitions les plus prestigieuses dans votre pays ? Quels sont les athlètes les plus respectés ?

■ La course automobile

Le coureur (= **le pilote**) automobile **pilote sa voiture de sport / de course**. **La course automobile** a lieu sur **un circuit** (par exemple, **les grands prix de Formule 1** ou **les 24 Heures du Mans**). **Le rallye** se passe généralement **sur route** ou **sur piste** (par exemple, le rallye Dakar).

■ Les sports nautiques

Le nageur (-euse) pratique **la natation à la piscine** ou **à la mer**. Il **nage**, par exemple, **la brasse** ou **le crawl**.

À la mer, on peut aussi **faire de la planche à voile** (1), **du ski nautique** (2), **du surf** (3) et de **la voile** (4).

■ Les sports de combat

Un judoka pratique **le judo**. Il est, par exemple, **ceinture noire de judo**. **Les boxeurs** disputent leurs matchs de boxe sur **un ring**.

LES SPORTS DE MONTAGNE

• On peut faire **du ski** (= **skier**) dans **une station de sports d'hiver**. Le ski **alpin** se pratique sur des **pistes** (1) **vertes** (faciles), **bleues** (moyennes), **rouges** (difficiles) ou **noires** (très difficiles). Le **skieur** (-ieuse) **descend** la piste (2), puis prend **le remonte-pente** (3). Certains préfèrent **le ski de fond** (4). Les enfants font de **la luge** (5).

• En été, **les randonneurs** (6) pratiquent **la randonnée**. **Les alpinistes** font de l'**alpinisme** : ils cherchent à **escalader** des montagnes. Ils font **de l'escalade**, ils **grimpent** le long des **parois** (7).

E X E R C I C E S

1   Vrai ou faux ?

	VRAI	FAUX
1. Une randonnée se pratique à pied.	☐	☐
2. On fait de l'escalade sur un ring.	☐	☐
3. Les pistes vertes ne sont pas difficiles.	☐	☐
4. Le ski de fond n'est pas un sport de vitesse.	☐	☐
5. On peut faire de la luge sur la plage.	☐	☐
6. Un nageur fait de la natation.	☐	☐
7. On peut grimper le long d'une paroi.	☐	☐
8. Un pilote participe à une course.	☐	☐

2   Éliminez l'intrus.

1. foot / saut / volley / basket

2. raquette / balle / ballon / court

3. joueur / athlète / arbitre / champion

4. course / compétition / tournoi / ring

5. brasse / piste / natation / piscine

6. terrain / court / gradins / patinoire

7. paroi / circuit / grand prix / rallye

8. escalade / piste / alpinisme / paroi

3   Choisissez les termes possibles.

1. Mathieu fait | de l'escalade | du ski nautique | les sports d'hiver | une station de ski |.

2. Clémence joue | aux cartes | au ping-pong | du patinage | le marathon |.

3. À la mer, on peut | descendre une piste | faire de la natation | faire de la voile | aller à la gym |.

4. Les joueurs participent à | une compétition | un tournoi | un stade | une course |.

5. Valérie bat | les cartes | l'escalade | le record du monde | le rallye |.

4   Associez un nom de la colonne de gauche à un sport.

1. un circuit		**a.** le volley
2. un court		**b.** le ski
3. la brasse		**c.** le judo
4. la paroi		**d.** l'équitation
5. le ballon		**e.** la course automobile
6. la ceinture		**f.** la natation
7. la piste		**g.** l'escalade
8. le manège		**h.** le tennis

TRANSPORTS – CIRCULATION

LE TRAIN

• **Les voyageurs prennent** le train à **la gare**. Ils prennent **un billet** de train **au guichet**, dans une agence de voyage ou sur Internet. Ils voyagent **en seconde** (**classe**) ou **en première** (plus confortable et plus chère).

• Pour aller de Lille à Dijon, je prends **un aller simple** (≠ **un aller-retour**). Pour avoir **une place assise** dans le train, il faut **une réservation**, donc je **réserve une place**. Dans certains trains, la réservation est **obligatoire**.

• Les billets peuvent être **remboursables** ou **échangeables**. Dans certains cas, c'est le contraire, ils sont ni échangeables, ni remboursables.

• Il est possible de **consulter les horaires** des trains sur Internet ou de trouver **une fiche horaire** à la gare.

• Si le trajet de Lille à Dijon n'est pas **direct**, je dois **prendre une correspondance** à Paris, je dois **changer de train** à Paris.

• Avant de **monter dans le train**, il faut **composter** / **valider** le billet, sinon **le contrôleur** peut vous faire payer **une amende**.

• On attend le train **sur le quai**. Dans certaines gares, on **emprunte le passage souterrain**, car il est interdit de traverser à pied **les voies de chemin de fer** / **les rails**.

• Si l'on arrive trop tard à la gare, on **rate** / **manque** le train. Si on arrive en avance, on peut s'asseoir dans **la salle d'attente** ou bien prendre un café **au buffet** de la gare.

• En France, **la SNCF** est l'entreprise qui gère les trains. Il existe :
– les trains régionaux (les **TER**, qui font de courts trajets) et les **trains de banlieue** (autour des grandes villes) ;
– les trains de **grandes lignes** (qui traversent la France) ;
– les **TGV** (trains à grande vitesse, qui relient des grandes villes).

• Le train est composé de **wagons** (on dit aussi « voitures »). En général, il existe un **wagon-bar**.

■ Les annonces dans les gares

« Le TGV n° 9268 **en provenance de** Lausanne et **à destination** de Paris va entrer en gare quai n° 3. Éloignez-vous de la bordure du quai, s'il vous plaît. »
« Dijon, Dijon, deux minutes d'arrêt ! Correspondance pour Besançon, voie A. »
« Le TGV n° 9315 à destination d'Amsterdam va partir dans quelques instants. Prenez garde à la fermeture automatique des portières. Attention au **départ**. »

1 Observez ce billet de train et répondez aux questions.

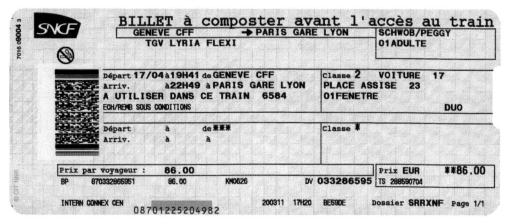

1. De quel type de train s'agit-il ?
2. Ce billet comprend-il une réservation ?
3. D'où part ce train ? Quelle est sa destination ?
4. Quel jour et à quelle heure part-il ? À quelle heure arrive-t-il ?
5. En quelle classe voyage la personne ?

2 Vrai ou faux ?

	VRAI	FAUX
1. Il faut composter son billet dans le train.	☐	☐
2. Le train est en provenance de Saint-Étienne = il va à Saint-Étienne.	☐	☐
3. Je change de train à Limoges, car j'ai une correspondance.	☐	☐
4. Le contrôleur vend des billets dans le train.	☐	☐
5. J'ai raté le train, car je suis arrivé en avance.	☐	☐
6. Nous attendons le train sur les rails.	☐	☐
7. On peut consulter des horaires de train sur Internet.	☐	☐

3 Complétez par les termes appropriés.

1. Le trajet n'est pas direct, nous devons prendre une _____.
2. Zut, je dois reporter mon voyage, mais mon billet n'est ni _____ ni _____.
3. Le train en _____ de Nice va entrer en gare, voie E.
4. Antoine est arrivé en retard, il a _____ le train pour Marseille.
5. Je suis en avance, je vais prendre un café au _____ de la gare.
6. Vous savez que la réservation est _____ dans ce train ?

4 À vous !

1. Dans votre pays, comment fonctionnent les trains ? Les réservations sont-elles obligatoires ? Existe-t-il des TGV ?
2. Prenez-vous souvent le train ? Pourquoi ?

L'AVION

• **Les passagers** achètent **un billet d'avion** (par Internet, dans une agence de voyages ou à l'aéroport). Ils prennent l'avion **à l'aéroport**, qui, parfois, comprend plusieurs **aérogares**.

• **Le pilote, les hôtesses de l'air** et **les stewards** constituent **l'équipage** de l'avion.

• Les passagers **embarquent** = **montent à bord** de l'avion (ou, au contraire, **descendent de** l'avion).

• **Un vol direct** est **sans escale**. Sinon, l'avion **fait escale** en chemin. « Passagers du vol Air France n° 2356 à destination de Bucarest, **embarquement** immédiat, porte D. »

• L'avion **décolle d'une piste de décollage**, et **atterrit** sur une piste d'**atterrissage**.

LE BATEAU

• **Les passagers prennent un bateau au port** : ils **embarquent** (≠ **débarquent**), ils **montent à bord** (≠ **descendent** du bateau). Le bateau part du **quai**.

• Le personnel du bateau et **le capitaine** constituent **l'équipage**.

• Sur **un paquebot**, on fait **une croisière** (un long voyage) et on loue **une cabine**, plus ou moins luxueuse. Quand c'est **une** simple **traversée** (un court trajet), on peut rester **sur le pont**.

LES TRANSPORTS EN COMMUN

Pour prendre un transport en commun, il faut avoir un « **titre de transport** » : **un ticket** ou bien **une carte d'abonnement** (qui a des noms différents selon les villes).

• À la campagne, on prend **un car** (= un bus) pour aller à la ville la plus proche.

• Dans les grandes villes, on prend **le bus** ou **le tramway** (**le tram**). On les attend à **un arrêt** (de bus, de tram).

• **On prend le métro** (généralement **souterrain**, mais parfois **aérien**) dans une **station de métro**. On attend le métro sur **le quai. Aux heures de pointe**, il y a **foule** dans le métro.

– Je vais de Concorde à Daumesnil. Je prends **la ligne** 8, **en direction de** Créteil-Préfecture, et c'est **direct**.

– Je vais de Bercy à Porte-Dorée, ce n'est pas direct, j'ai **un changement** / **une correspondance**. Je dois **changer à** Daumesnil.

E X E R C I C E S

1 Quel mode de transport conseillez-vous à ces personnes ?

1. Juliette aime la mer, le luxe et n'est pas pressée pour aller à Athènes. _____

2. Emma doit se rendre au plus vite à Berlin. _____

3. Louis habite un petit village, n'a pas de voiture et veut aller en ville. _____

4. Romain habite à Paris, n'a pas de voiture et veut aller à Reims. _____

5. Mourad travaille et habite à Paris, et il n'aime pas prendre le métro. _____

2 Devinette. De qui ou de quoi parle-t-on ?

1. C'est l'ensemble du personnel d'un avion ou d'un bateau. _____

2. C'est l'endroit où l'on attend l'arrivée d'un bateau, d'un train ou d'un métro. _____

3. C'est le moment de la journée où il y a le plus de monde dans les transports en commun. _____

4. Ce sont les voyageurs qui prennent l'avion ou le bateau. _____

5. C'est une étape dans un vol qui n'est pas direct. _____

6. C'est le responsable, le « chef » du bateau. _____

7. C'est un grand bateau permettant de faire une croisière de luxe. _____

8. C'est le nom d'un déplacement en avion. _____

3 Vrai ou faux ?

	VRAI	FAUX
1. Le métro n'est pas toujours souterrain.	☐	☐
2. Un car est un système de transport en ville.	☐	☐
3. On peut faire une croisière en avion.	☐	☐
4. On peut embarquer dans un avion.	☐	☐
5. On attend le bus sur le quai.	☐	☐
6. Quand l'avion arrive, il décolle.	☐	☐
7. Si je prends une correspondance, c'est parce que le trajet n'est pas direct.	☐	☐
8. Un vol peut être sans escale.	☐	☐

4 Complétez par un verbe approprié.

1. L'avion va partir : il va _____ dans quelques instants.

2. Les passagers _____ à bord du bateau qui va partir.

3. Comme ce n'est pas direct, nous devons _____ à la station Jean-Jaurès.

4. Mes amis _____ une croisière en Méditerranée.

5. Elle est dans le métro, elle est presque arrivée. Elle va _____ à la prochaine station.

6. L'avion _____ escale à Milan avant de repartir pour Palerme.

5 À vous !

Dans votre ville/région, comment les transports en commun sont-ils organisés ? Est-il nécessaire d'avoir une voiture pour se déplacer ? Existe-t-il d'autres modes de transport ? Si oui, lesquels ?

LES VÉHICULES PERSONNELS

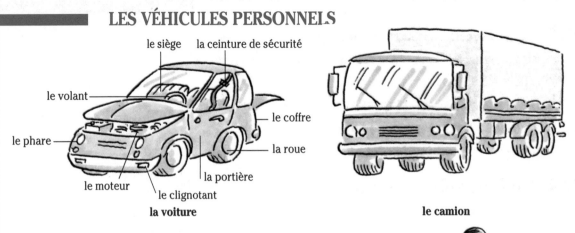

la voiture   **le camion**

Les deux-roues :

le vélo   le scooter   la moto

Pour circuler **à moto**, il est obligatoire de porter **un casque** sur la tête.

CONDUIRE

• Pour pouvoir conduire un véhicule, il faut **un permis de conduire** et **une assurance automobile**.

• **Le conducteur** (-trice) / **l'automobiliste fait démarrer** sa voiture : il **met le moteur en marche** ≠ il **coupe le contact**. Il **attache** / **met sa ceinture de sécurité**. Il **recule** (= il va en arrière) ou **il avance** (= il va en avant).

• Il **tourne le volant** pour prendre **un virage** / **un tournant**. Il **accélère** (= il va plus vite) ≠ il **freine**, il **appuie sur la pédale de frein** pour **ralentir** (= aller moins vite). Si la voiture n'est pas **automatique**, il **change de vitesse** : il **passe en troisième**, **en quatrième**…

• La nuit, il **allume ses feux** / **phares** pour voir et être vu.

• Il va à **la station-service** pour prendre du **carburant** / de **l'essence** : du **super sans plomb** ou du **gasoil** (pour les voitures **diesel**). S'il remplit **le réservoir**, il « **fait le plein** ».

• Régulièrement, il **laisse** sa voiture **au garage** pour **une révision** : il fait **réviser** sa voiture.

• Si la voiture est **en panne** (= si elle ne marche pas), il la fait **réparer** par **un garagiste** / **mécanicien**.

• Je dois **sortir** ma voiture **du garage** ≠ je **rentre** / **mets** ma voiture **dans le** garage.

Remarque. Le mot « garage » signifie l'endroit de la maison où l'on gare la voiture, ou bien l'entreprise qui répare les voitures.

1   **Vrai ou faux ?**

	VRAI	FAUX
1. Le scooter a quatre roues.	☐	☐
2. Pour conduire un camion, on doit porter un casque.	☐	☐
3. Il faut attacher sa ceinture de sécurité avant de démarrer.	☐	☐
4. Le vélo a un volant.	☐	☐
5. Pour ralentir, il faut freiner.	☐	☐
6. La nuit, on doit allumer les phares.	☐	☐
7. On prend de l'essence à la station-service.	☐	☐
8. On peut sortir une voiture du garage.	☐	☐
9. Pour faire démarrer la voiture, on coupe le contact.	☐	☐
10. On doit mettre du gasoil dans le réservoir d'une voiture diesel.	☐	☐

2   **Complétez par le verbe approprié.**

1. Roland va en arrière avec sa voiture, il _____.

2. Hugues _____ sa ceinture de sécurité avant de démarrer.

3. Le mécanicien _____ la voiture qui est en panne.

4. Leila est en voiture, elle _____ pour s'arrêter devant un piéton.

5. Le réservoir est vide, je dois _____ le plein avant de partir.

6. Félix est pressé, il _____ pour rouler plus vite.

7. En arrivant chez elle, Rachel _____ sa voiture dans son garage.

8. Bénédicte _____ de vitesse, elle _____ en quatrième.

9. Pour prendre à gauche, je dois _____ le volant.

10. Tous les ans, nous devons faire _____ notre voiture, pour qu'elle marche bien.

3   **Remettez le texte suivant dans un ordre logique.**

a. Elle fait démarrer la voiture.   **d.** Elle recule pour sortir la voiture de son garage.

b. Elle va prendre de l'essence.   **e.** Solange attache sa ceinture.

c. Elle voit que son réservoir est presque vide.   **1.___ 2.___ 3.___ 4.___ 5.___**

4   **Trouvez un synonyme aux termes soulignés.**

1. Le conducteur de la voiture doit réduire sa vitesse. → _____

2. Sur cette route de montagne, il y a beaucoup de tournants. → _____

3. Le soir, les automobilistes doivent allumer leurs feux. → _____

4. Kevin met sa ceinture de sécurité. → _____

5. La conductrice de la voiture augmente sa vitesse. → _____

6. Amandine remplit le réservoir de sa voiture. → _____

7. La voiture sera réparée par un mécanicien. → _____

CIRCULER

■ En dehors des villes

• Pour aller de Reims à Troyes, vous **prenez / empruntez la route** ou **l'autoroute**. La plupart des autoroutes de France sont **payantes** : vous devez payer **au péage**.

• Quand un véhicule **roule** trop lentement, vous le **doublez / dépassez**.

• Malheureusement, il y a beaucoup d'**accidents de la route**, car les automobilistes ne sont pas toujours **prudents**. Par exemple, ils ne **respectent** pas **les limitations de vitesse**. Sur les routes, la vitesse est **limitée à** 90 km/heure.

■ En ville

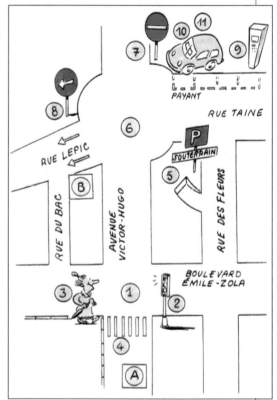

• Vous êtes au point (A) et vous voulez aller en voiture **au parking souterrain** (5) : vous allez jusqu'**au croisement** (1), vous vous arrêtez **au feu rouge** (2) et vous **laissez passer les piétons** (3) qui **traversent au passage piéton** (4). Vous **redémarrez au feu vert** et vous **prenez à droite**, puis **la première à gauche**.

• Du point (A) vous allez au point (B) : vous **continuez tout droit jusqu'au rond-point** (6). La deuxième à droite est **en sens interdit** (7), donc vous prenez la troisième à droite, qui est **en sens unique** (8) (≠ **à double sens**), puis la première à gauche.

• En ville, vous cherchez **une place** pour **garer** votre voiture : vous **vous*** **garez** dans la rue. Le **stationnement** est généralement **payant** (≠ **gratuit**). Si vous ne prenez pas de ticket à **l'horodateur** (9), vous **recevrez / aurez une contravention / un P-V*** (10) **L'amende** coûte cher ! Il est aussi interdit de **stationner** sur **les trottoirs**. (11)

Remarque. Les Français disent généralement : « je me suis garé(e) » pour « j'ai garé la voiture ». C'est incorrect mais c'est la réalité de l'usage !

• Dans les grandes villes, **la circulation** peut être difficile à cause **des embouteillages** < **des bouchons**, qui se forment **aux heures d'affluence / de pointe** (≠ **aux heures creuses**) : **ça roule mal** (≠ **bien**).

• De nombreuses villes de France ont mis en place un système de **location de vélos** (le Vélib' parisien).

E X E R C I C E S

1 **Associez pour constituer une phrase complète.**

1. Ce n'est pas une heure d'affluence, donc…   **a.** les piétons peuvent traverser la rue.

2. Il y a beaucoup de virages sur cette petite route donc… **b.** il y a 10 km de bouchons.

3. Vous n'avez pas pris de ticket à l'horodateur, donc…   **c.** vous allez le doubler.

4. Impossible de stationner dans la rue, donc…   **d.** ça roule bien.

5. Il y a eu un accident sur l'autoroute, donc…   **e.** il est interdit de doubler.

6. Le feu est au rouge pour les voitures, donc…   **f.** vous aurez peut-être un P-V !

7. Le camion roule très lentement, donc…   **g.** vous irez au parking souterrain.

2 **Complétez par un terme approprié.**

1. La vitesse est _____ à 50 km/heure en ville.

2. Nous partons en vacances, et nous allons essayer d'éviter les heures _____.

3. Il y a trop de circulation, avec des kilomètres de _____ sur cette route !

4. Le stationnement est difficile dans ce quartier, je ne trouve pas de _____.

5. Ce véhicule roule trop lentement, je vais le _____.

6. Au passage piéton, je laisse _____ les piétons qui veulent traverser.

7. Il est important de _____ les limitations de _____.

3 **Choisissez la bonne réponse.**

1. Tu as trouvé une place ?

   a. ☐ Oui, à l'horodateur.   **b.** ☐ Oui, dans la rue.

2. Les piétons peuvent traverser ?

   a. ☐ Non, le feu est au vert pour les voitures.   **b.** ☐ Non, le feu est au rouge pour les voitures.

3. Le stationnement est gratuit ?

   a. ☐ Non, il est payant.   **b.** ☐ Non, c'est un parking.

4. La rue est en sens interdit ?

   a. ☐ Oui, il y a un feu rouge.   **b.** ☐ Non, elle est à double sens.

5. Tu as eu un P-V ?

   a. ☐ Oui, j'étais garé sur le trottoir !   **b.** ☐ Oui, j'ai pris un ticket à l'horodateur !

6. Il y a des embouteillages ?

   a. ☐ Non, ça roule mal.   **b.** ☐ Oui, il y a des bouchons.

7. Vous empruntez la route ?

   a. ☐ Non, je prends l'autoroute.   **b.** ☐ Non, je prends la route.

4 **À vous !**

Parlez de la circulation dans votre ville/région. Quand sont les heures d'affluence ? Comment se passe la circulation ? Y a-t-il beaucoup de bouchons ? Les automobilistes respectent-ils les limitations de vitesse ? Connaissez-vous le taux d'accidents de la route ?

17 LE TOURISME – LES VACANCES

LE VOYAGE

■ Les préparatifs

• Paul va **partir en voyage** en Italie. Il a choisi **un itinéraire** agréable, il a décidé de passer par les petites routes de campagne. Il aime beaucoup **les préparatifs** d'un voyage, il prend son temps pour **faire ses valises**. Il emporte **une carte** d'Italie, une carte de la Toscane et **un plan** de Florence. Comme il a préparé son voyage sur Internet, il n'a pas besoin de **brochures** ni de **dépliants touristiques**. Il emporte **son appareil photo**, car il **prendra** beaucoup de **photos**, bien sûr.

• Isabelle va **faire un voyage organisé** en Inde, avec un groupe d'amis. Elle a besoin d'**un visa** sur **son passeport**. Quand elle arrivera à Bombay, il y aura **des formalités de douane à la frontière**. Elle devra **changer de l'argent** dans **un bureau de change**.

• Certains emportent **une valise**, d'autres préfèrent **un gros sac de voyage** ou **un sac à dos**, qui est très commode. Dans **la trousse de toilette**, on met sa brosse à dents. Au retour de voyage, il faut **défaire la valise/les bagages**.

• Dans les avions et les trains, les bagages doivent être **étiquetés** (= avoir **une étiquette** avec le nom et l'adresse du propriétaire).

■ Où dormir ?

• On peut **aller / être à l'hôtel**, dans **une chambre d'hôte** ou passer des vacances **dans une ferme-auberge**. **En pension complète**, on prend tous les repas. En **demi-pension**, un seul repas et le petit déjeuner.

Remarque. Ne confondez pas « être » à l'hôtel (= loger) et « rester » à l'hôtel (= ne pas sortir de sa chambre).

• Pour **réserver une chambre simple** ou **double**, on peut téléphoner ou **faire la réservation sur** Internet. On donne alors un numéro de carte bancaire. Quelquefois, il faut envoyer **des arrhes** (une somme d'argent de garantie). Les jeunes vont dans **une auberge de jeunesse** (les chambres sont généralement à plusieurs lits).

• **Faire du camping** (ou **camper**) est plus économique : on **monte la tente** ou on **installe la caravane** sur **un terrain de camping**. On dort dans **un sac de couchage**.

• Les enfants et les adolescents peuvent partir en **colonie de vacances**, c'est-à-dire qu'ils partent en groupe, sans leurs parents, mais accompagnés d'adultes (**les moniteurs/-trices**).

• Dans **un club de vacances, tout est compris** dans **le prix forfaitaire** (transport, séjour à l'hôtel, repas, activités sportives).

E X E R C I C E S

1   Vrai ou faux ?

VRAI   FAUX

1. On consulte le plan d'une ville. ☐ ☐
2. On peut réserver une chambre simple dans une auberge de jeunesse. ☐ ☐
3. On envoie des arrhes à la douane. ☐ ☐
4. Les parents peuvent partir en colonie de vacances. ☐ ☐
5. Je mets mon pull et mon anorak dans ma trousse de toilette. ☐ ☐
6. La tente permet de faire du camping. ☐ ☐

2   Choisissez la bonne réponse.

1. Il déteste | les préparatifs | les bagages | du voyage.
2. Ils | restent | sont | à l'hôtel pour toutes leurs vacances.
3. Elle emporte | une carte | un plan | de Séville.
4. Les adolescents montent la | caravane | tente |.
5. Il | loue | réserve | une chambre d'hôte.
6. Avant de partir, elle | met | fait | les valises.
7. Mes enfants partent en | camp | colonie | de vacances.
8. Nous aimons | aller | partir | en voyage.
9. Il emporte | un sac | une valise | à dos.

3   Que font-ils ? Quel genre de vacances ont-ils choisi ?

1.   2.

4   À vous ! Parlez de vos vacances.

1. Comment choisissez-vous vos destinations de vacances ?
2. En général, vous préférez partir seul ou en groupe ? Pourquoi ?
3. Quels pays/régions avez-vous visités ou avez-vous l'intention de visiter ? Pourquoi ?
4. Quel mode de logement préférez-vous ?
5. Quel genre de voyageur/-euse êtes-vous ? Calme, stressé(e) ? Aventureux/-euse ? Prudent(e) ?
6. Qu'emportez-vous dans vos bagages, en général ?

■ Comment se déplacer ? *(voir chapitre 16)*

• Certains **font de l'auto-stop** (ils demandent à un automobiliste de les conduire gratuitement) ou **du co-voiturage** (ils partagent les frais d'une seule voiture). On peut aussi se déplacer **à vélo, à pied** ou **à cheval** !

OÙ PASSER DES VACANCES ?

• Prendre des vacances, cela veut d'abord dire « **se reposer** » (= ne rien faire, arrêter de travailler). Quand quelqu'un part en vacances, on lui dit : « **Bonnes vacances, repose-toi bien ! Reposez-vous bien !** »

• La plupart des salariés français ont au moins **cinq semaines de congés payés**. En été, beaucoup vont **à la mer, à la campagne, à la montagne** et, en hiver, **aux sports d'hiver**. Certains ont **une résidence secondaire (une maison de campagne)** où ils **passent** leurs vacances. D'autres encore **font du tourisme** et **séjournent dans une ville** ou dans **une région touristique**, en France ou **à l'étranger**.

• L'été, beaucoup de gens sont **en vacances** à la mer. **Ils s'installent sur la plage, plantent le parasol** (1) dans **le sable**, se mettent de **la crème solaire** (2) et **prennent le soleil** (= **ils prennent des bains de soleil**), pour **bronzer** (= **être bronzé**). Les imprudents **prennent des coups de soleil** (3) : ils deviennent tout rouges ! Les enfants adorent jouer **au bord de la mer** : ils **font des châteaux de sable** (4), ils **ramassent des coquillages** (5), ils **jouent au ballon** (6). Si l'eau est **bonne** (= à une température agréable), **ils vont se baigner** (7) (= passer du temps dans l'eau). Pendant ce temps, les parents **nagent** (8) ou **font de la planche à voile** (9). Attention, quand il y a de hautes **vagues** (10), on risque de **se noyer**… C'est pourquoi les jeunes enfants portent toujours **des bouées** (11) quand ils ne savent pas nager…

E X E R C I C E S

1 Associez pour constituer une phrase complète.

1. Ils ont pris le soleil, alors
2. Il y a du vent et des vagues, alors
3. L'eau était bonne, alors
4. Il n'a pas mis de crème, alors
5. Le petit garçon ne sait pas nager, alors
6. Ils sont très fatigués, alors

a. il met une bouée.
b. ils doivent se reposer.
c. il a pris un coup de soleil.
d. ils sont bronzés.
e. il peut faire de la planche à voile.
f. ils se sont baignés.

2 Complétez par un verbe approprié (plusieurs solutions sont parfois possibles).

1. Nous _____ du tourisme tout le mois de juillet.
2. Mes enfants _____ des coquillages sur la plage.
3. Est-ce que ta fille sait _____ le crawl ?
4. Nos amis _____ leurs vacances à la montagne.
5. Hier, à la plage, l'eau n'était pas froide. Est-ce que vous _____ ?
6. La semaine prochaine, elle _____ en vacances.
7. Il doit _____ le parasol dans le sable, sinon il va _____ un coup de soleil !

3 Vrai ou faux ?

	VRAI	FAUX
1. On ouvre le parasol quand il pleut.	☐	☐
2. On se baigne dans la baignoire.	☐	☐
3. Les enfants peuvent faire des châteaux de sable sur la plage.	☐	☐
4. On met de la crème solaire pour éviter les bains de soleil.	☐	☐
5. Quand on est en congé, on ne travaille pas.	☐	☐
6. Si on ne sait pas nager, on risque de se baigner.	☐	☐

4 Que font-ils ?

5 À vous !

1. Aimez-vous passer des vacances à la mer ? Si oui, qu'y faites-vous ?
2. Êtes-vous déjà allé(e) aux sports d'hiver ? Si oui, qu'avez-vous fait ?
3. Dans votre pays, comment fonctionnent les congés des salariés ?

UNE CROISIÈRE

Pour leur voyage de noces, Sarah et Fabien vont **prendre le bateau** et **faire une belle croisière** en Méditerranée. Ils vont **se détendre** (= se reposer) à la piscine, à la salle de gym et au sauna. Au moment des **escales**, quand le bateau s'arrêtera dans **un port**, ils **feront des excursions** et **se promèneront** dans des **sites touristiques**. Ils **visiteront des monuments historiques** sous la conduite d'**un(e) guide**. Ils enverront des **cartes postales** à leurs amis et **rapporteront des souvenirs** de ce voyage inoubliable.

UNE RANDONNÉE

Céline est très sportive et voudrait **se changer les idées**. Elle adore **la randonnée** et a décidé de faire **un trekking** au Maroc. **Le circuit** qu'elle a choisi lui permettra de **faire le tour du pays**, de **parcourir** le Maroc **en long et en large**. Comme elle habite une petite ville du nord de la France, elle sera très **dépaysée** : elle découvrira **des coutumes** et **des paysages** complètement différents de sa région d'origine. Par exemple, pour la première fois de sa vie, elle verra **le désert**, peut-être **à dos de chameau** ! Ce sera **exotique** pour elle. Elle **s'est renseignée auprès d'une agence de voyages** spécialisée dans ce genre de circuits.

LES VOYAGES FORMENT LA JEUNESSE…

De nombreuses expressions imagées ou des proverbes sont en rapport avec le voyage :

- **Les voyages forment la jeunesse !**

- **Partir, c'est mourir un peu…**

- **Éric m'a mené en bateau** : il a inventé toute une histoire (fausse) que j'ai crue.

- L'employé **m'a envoyé promener** quand je lui ai demandé un visa pour aujourd'hui : il m'a sèchement répondu de revenir dans une semaine.

- La pauvre Germaine **se noie dans un verre d'eau** : la plus petite difficulté devient pour elle un énorme problème.

- **Je ne suis pas sorti(e) de l'auberge !** : les difficultés ne font que commencer…

1 Quelle publicité pourrait intéresser les personnes suivantes ?

1. Vanessa aime la neige et le sport. → _____
2. Nathalie est très fatiguée et n'a pas assez d'énergie pour organiser un voyage. → _____
3. Lise n'a pas beaucoup de temps, mais aime visiter des villes historiques. → _____
4. Pierre est passionné par l'Asie et recherche l'aventure. → _____
5. Claudine et Laurent aiment la mer, le soleil et les bateaux. → _____
6. Jean et Joëlle adorent la marche à pied en montagne. → _____
7. Anne aime la nature, les animaux, le calme. → _____
8. Claire s'intéresse à l'histoire de France et à l'architecture. → _____

Ski de fond en Finlande
Forfait (avion + hôtel)
1200 €

a Séjour de 15 jours **en TUNISIE** **980 €** tout compris (avion + hôtel pension complète)

b • Découvrez l'AUVERGNE À CHEVAL •

c **Randonnée à pied dans les Alpes**

e Visitez les châteaux de la Loire...

f **Croisière dans les îles grecques**

g un week-end à PRAGUE **530 €** tout compris

Visitez l'Asie mystérieuse !
À LA DÉCOUVERTE DE LA THAÏLANDE **h**

2 Choisissez la bonne réponse.

1. Ils vont faire une belle | croisière | randonnée | dans les Pyrénées.
2. À Rome, on peut visiter de très nombreux monuments | historiques | touristiques |.
3. Michel a besoin de se changer les | vacances | idées |.
4. Pour découvrir la Hongrie, nous avons choisi un | circuit | site | qui nous permettra de faire | le tour | la tour | du pays.
5. Nous allons | prendre | faire | le bateau à Marseille pour aller en Corse.
6. Il va changer de pays et d'habitudes, il va être | fatigué | dépaysé |.
7. Ils sont en Provence, ils vont faire beaucoup | d'excursions | de voyages | dans la région.

3 Complétez.

1. Nous adorons marcher, nous faisons souvent de la _____ en montagne.
2. Quand on habite en Alsace, aller en Inde, c'est vraiment _____ !
3. Le Sahara est un _____.
4. Mes amis vont faire une _____ en bateau.
5. Le bateau fera des _____ dans différents ports.

4 À vous ! Comment comprenez-vous les deux proverbes : « Partir, c'est mourir un peu » et « Les voyages forment la jeunesse » ?

18 L'ENSEIGNEMENT

LA SCOLARITÉ

■ L'école

• L'**école maternelle** (la « **maternelle** »), non obligatoire, accueille les enfants à l'âge de trois ans et pendant trois ans.

• À partir de l'âge de six ans, les enfants vont à l'**école primaire**, obligatoire, où ils passent cinq ans.

• À l'école primaire ou maternelle, **les élèves** sont des **écoliers**. Ils ont **un instituteur** ou **une institutrice**. Ils l'appellent **le maître** ou **la maîtresse** (souvent, aujourd'hui, ils l'appellent par son prénom).

■ L'enseignement secondaire (le « secondaire »)

• Dans le secondaire, les élèves ont plusieurs **professeurs** (« **profs*** »), spécialisés chacun dans une **matière** (les maths, le français, etc.).
Les instituteurs et les professeurs sont des **enseignants**.

• Les enfants **entrent au collège** (obligatoire) à l'âge de onze ans. Ils y deviennent des **collégiens**. Le collège comprend quatre **classes** : **la sixième**, **la cinquième**, **la quatrième** et **la troisième**.

• Ensuite, c'est le **lycée** : les **lycéens** y passent leurs années de **seconde**, **première** et **terminale**. Ils y **préparent** l'**examen** du **baccalauréat** (le « **bac** »). **Ce diplôme** est nécessaire pour **faire des études supérieures**.
Les lycées professionnels **préparent au baccalauréat professionnel** (« **bac pro*** »). Les lycées d'enseignement général et technologique préparent au **bac général** (littéraire, scientifique ou économique et social) et au **bac technologique** (« **bac techno*** »).

■ L'enseignement supérieur (le « supérieur »)

• Les **étudiants** qui **ont leur bac** / qui **ont été reçus au bac** / qui **ont réussi leur bac s'inscrivent** à l'**université** (à la « **fac** ») où ils vont **faire leurs études**. Ceux qui ont **raté leur bac** / qui ont **échoué au bac** / qui ont **été recalés** doivent **redoubler** (= recommencer) leur terminale.

• Après le bac, si on veut **faire une grande école** (écoles d'ingénieur, de commerce, École normale supérieure…), on peut préparer **le concours d'entrée** aux grandes écoles et faire deux ou trois ans de **classe préparatoire**. Les « **classes prépa*** » sont **sélectives** : l'étudiant, qui doit **avoir eu de très bons résultats** en terminale et au bac, **est accepté sur dossier**.

E X E R C I C E S

1 Vrai ou faux ?

	VRAI	FAUX
1. Au lycée, les élèves ont un instituteur ou une institutrice.	☐	☐
2. L'école primaire n'est pas obligatoire.	☐	☐
3. L'école maternelle n'est pas obligatoire.	☐	☐
4. Les grandes écoles font partie de l'enseignement supérieur.	☐	☐
5. Laure prépare un bac littéraire dans un lycée professionnel.	☐	☐
6. Après le collège, on entre au lycée.	☐	☐
7. Sans le bac, on ne peut pas entrer à la fac.	☐	☐
8. Les étudiants vont au collège.	☐	☐
9. Tout élève reçu au bac peut entrer en classe prépa.	☐	☐
10. Le lycée professionnel prépare au bac technologique.	☐	☐

2 Associez.

1. Louis a dix-huit ans. En juin dernier, il a eu…   a. lycéenne.

2. Louis va s'inscrire en sociologie…   b. à l'école primaire.

3. C'est à Lyon qu'il a choisi de faire…   c. le bac.

4. La petite Caroline a deux ans. L'année prochaine, elle entre…   d. en troisième.

5. Pierre a six ans. Ses parents l'ont inscrit…   e. en classe prépa.

6. Clélia a quinze ans. Elle est…   f. à l'école maternelle.

7. Noëllie a quatorze ans. Elle est dans sa dernière année…   g. dans les grandes écoles.

8. Lila est en seconde. L'année dernière, elle était…   h. à l'université.

9. On passe un concours pour entrer…   i. ses études.

10. Jules vient de passer le bac et veut devenir ingénieur.   j. de collège.
    Il va essayer de rentrer…

3 Complétez le texte.

« Je n'ai jamais quitté l'école… »

J'ai commencé *l'école* dans le petit village où je suis né. Ma mère a été mon _____ pendant plusieurs années. À l'école, je l'appelais « _____ » et à la maison, « maman ». J'étais un _____ heureux. Après l'école _____, le collège et le lycée ont été plus difficiles. J'ai même _____ ma troisième, à cause de mes mauvais résultats. Après le bac, j'ai fait _____ à Paris, loin de mon village natal. J'ai beaucoup profité de ma vie d'_____. Ensuite, je suis devenu _____ moi-même, d'abord dans le _____ et maintenant dans le supérieur.

LE CALENDRIER SCOLAIRE

La rentrée (**scolaire** / **des classes**) a lieu début septembre.

La fin de **l'année scolaire** marque le début des « **grandes vacances** » (= les vacances d'été : juillet et août). Les universités, elles, ont chacune leur calendrier.

Remarque. Ne confondez pas **la fin de l'année scolaire** et **la sortie de l'école** (chaque jour, au moment où les élèves sortent de l'école).

DANS LE CARTABLE

Dans le cartable (1) : le livre (2), le cahier (3), la trousse (4), le classeur (5), les feuilles perforées (6) (que l'on met dans le classeur), la chemise (7), le dossier (8), le bloc-notes (9) l'agrafeuse (10), les trombones (11), les ciseaux (12), la calculette (13), les crayons de couleur (14).

Dans la trousse : un crayon (15), une gomme (16), un taille-crayon (17), une règle (18), un stylo-bille (19), un feutre (20), un stylo-plume (21), une cartouche d'encre (22).

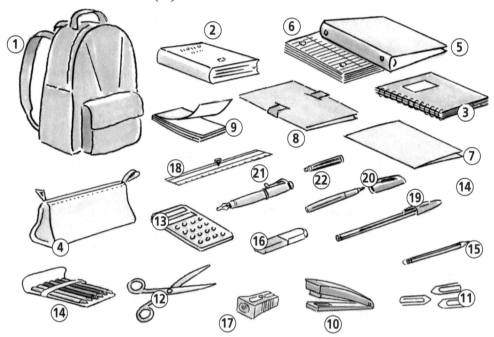

LES LIEUX

Un collège ou un lycée comprennent des **salles de cours** (avec **le bureau** du professeur, **le tableau** au mur, les **tables** des élèves), **la cour** où les élèves peuvent parler entre les cours, **la bibliothèque** où se trouvent les livres, **la salle informatique** où sont installés les ordinateurs. Ils possèdent parfois **un terrain de sport** et **un gymnase** pour les cours d'**éducation physique**.

Les élèves qui ne peuvent pas rentrer chez eux à midi mangent à **la cantine**.

Remarque. Attention à la différence entre *la* **cour** (de **récréation**) et *le* **cours** (d'histoire).

1 Mots croisés.

Horizontalement

1. On y met des feuilles perforées.

2. On peut écrire et dessiner avec; il est noir ou de couleur.

3. Elle sert à effacer.

4. On le lit.

5. On l'utilise pour tracer un trait bien droit.

6. Il contient les affaires de l'élève.

Verticalement

a. On écrit dessus, il est en papier.

b. On écrit avec, il contient de l'encre.

c. On la met dans un classeur.

d. Elle contient tous les crayons et stylos.

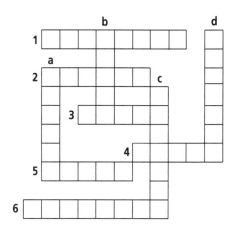

2 Répondez aux questions suivantes.

Exemple : Dans quelle partie du collège a lieu la récréation ? *La récréation a lieu dans la cour.*

1. Dans quelle partie du collège se passe le cours d'anglais ?

_____

2. Où est-ce que les élèves font du sport ?

_____

3. Où est-ce que les élèves déjeunent ?

_____

4. Où est-ce qu'un élève emprunte un livre ?

_____

5. Où est-ce que le professeur écrit ses explications ?

_____

3 Entourez la ou les bonne(s) réponse(s).

1. Juliette a sept ans. Elle n'aime pas | l'enseignement | l'université | l'école |.

2. Plus exactement, elle n'aime pas son | instituteur | maître | professeur |.

3. Depuis le jour de | la rentrée | l'entrée scolaire | la rentrée des classes |, elle est triste d'aller à l'école.

4. Heureusement, elle ne mange pas | au restaurant | à l'école | à la cantine |.

5. Aujourd'hui, elle est très heureuse car demain, | ce sont les grandes vacances | c'est la sortie de l'école | c'est la rentrée scolaire |.

MATIÈRES, DISCIPLINES, EMPLOI DU TEMPS

8 h	Mathématiques (maths)
9 h	Sciences de la vie (= biologie)
9 h 55	Pause/Récréation
10 h 05	Langue vivante
11 h	Physique-chimie

12 h	Cantine
14 h	Philosophie (philo)
15 h	Histoire-géographie (histoire-géo)
16 h	Sport

Remarque. En terminale S, il n'y a plus de **cours de français**. Les **matières** principales sont les maths, la physique et la biologie.

Journée d'un élève de terminale scientifique

■ Les disciplines universitaires

• À l'université, on choisit **une discipline** dominante : **les lettres**, **les langues**, **l'histoire**, **l'histoire de l'art**, **la géographie**, **le droit**, **la sociologie** (= la socio*), **la psychologie** (= la psycho*), **la médecine**, **les sciences politiques**, **l'économie** (= l'éco*), **la gestion**, **les maths**, **la physique**, etc.

L'ORGANISATION DES ÉTUDES

• L'année universitaire comprend deux **semestres**. On **passe des examens** à la fin de chaque semestre (**contrôle terminal**). Mais on **passe** aussi des **partiels** (= **devoirs surveillés** pendant le cours), on **fait des exposés** (**oraux**), on **rend** des **dossiers** (**écrits**) pendant le semestre (**contrôle continu**).

• On **valide** son année et on **passe dans l'année supérieure** si on a une **moyenne générale** supérieure à 10/20 (on **redouble** si on a moins de 10).

• Après trois années d'études, on obtient un premier **diplôme** : la **licence** (avec **une mention passable**, **assez bien**, **bien** ou **très bien**, selon les résultats).

• On peut ensuite préparer un **master** en deux ans. Il existe des **masters** « **recherche** » et des **masters professionnels** (« masters pro* »). Pour obtenir son master, on doit valider des cours et **séminaires** et rédiger **un mémoire** (un travail personnel sur **un sujet** choisi avec **le directeur de recherche**).

• Après le master, on peut continuer à **faire de la recherche** : on prépare alors **une thèse** (= **un doctorat**). Le **mémoire** de thèse comporte à la fin une **bibliographie** (= liste des ouvrages lus avec leurs références).

• Les étudiants peuvent passer un semestre à l'étranger (**échanges Erasmus**).

1 Complétez par un terme approprié.

1. Mathilde préfère les mots aux chiffres. Elle aime le _____.

2. Elle n'aime pas compter. Elle déteste les _____.

3. Romain préfère jouer dans la cour avec ses copains. Il adore la _____.

4. Il aime aussi courir, sauter, jouer au ballon. Sa matière préférée est le _____.

5. Malek veut devenir médecin. À seize ans, il aime déjà beaucoup la _____.

6. Agathe veut devenir avocate. Elle est actuellement en troisième année de _____.

7. Thomas aime lire, réfléchir aux grandes questions humaines. Il s'intéresse beaucoup à la _____.

2 Complétez.

1. Lucile a eu 18 en maths, 12 en science de la vie, 16 en français, 13 en allemand, 12 en physique, 14 en philo et 13 en histoire-géo. Ça lui fait une _____ de 14/20.

2. Frédérique a eu sa licence avec tout juste 10 de moyenne. Elle a obtenu la _____ passable.

3. Olivier a presque terminé d'écrire son _____ de thèse. Il ne lui reste plus qu'à compléter sa _____ qui est très longue car il a lu beaucoup de livres.

4. Zulma a été malade et n'a pas pu _____ ses examens. Elle doit _____ son année de master.

5. Pour _____ le séminaire de civilisation espagnole, les étudiants peuvent choisir entre un _____ oral et un _____ écrit à la maison.

6. Dans quelques mois, Tom va _____ son bac. Il a l'intention de _____ à l'université l'année prochaine, mais il hésite encore entre plusieurs _____.

3 Racontez la vie scolaire et universitaire de Baptiste selon les indications suivantes.

– École maternelle à trois ans.

– École primaire à six ans : apprentissage de la lecture, de l'écriture, du calcul.

– Collège à 11 ans. Intérêt pour les matières scientifiques. Difficultés en français.

– Redoublement de la quatrième (moyenne générale de 8/20).

– Lycée à 16 ans : pas de problèmes. Passion pour la technique et les technologies. Bac scientifique à dix-huit ans avec mention bien.

– Après le bac : classe prépa scientifique.

– Réussite au concours d'entrée de Supelec (grande école d'ingénieur).

– Premier travail à 25 ans.

■ Apprendre le verbe « apprendre »

• L'étudiant en médecine apprend son cours (→ **apprendre quelque chose**).

• L'élève apprend à lire, à écrire (→ **apprendre à faire quelque chose**).

• Le prof de français apprend la grammaire à ses étudiants étrangers
(→ **apprendre quelque chose à quelqu'un**).

• Le maître apprend à compter aux élèves (→ **apprendre à faire quelque chose à quelqu'un**).

■ Les moments difficiles

– En anglais, ce matin, j'**ai été interrogé à l'oral**.
– Tu **as eu combien** ?
– J'ai **eu 14**. J'avais appris le cours **par cœur** (= j'avais tout mémorisé) et j'avais complété le cours par **une recherche (sur) Internet**.
– Tu te sens prêt pour le partiel de traduction de demain ?
– Pas vraiment mais j'espère **compenser** ma note de traduction par celle **de civilisation anglaise**. J'espère donc **réussir** mon année.

■ Les élèves et les profs...

• Léa **bavarde** en cours, elle est **distraite** et **indisciplinée** (= elle discute avec ses amis), alors que Jérémie est très **concentré** et très **attentif**.

• Sophie est **vivante**, elle **lève la main / le doigt** pour **participer à l'oral** alors que Christophe est **effacé**, **passif**.

• Marc est **travailleur**. Ce n'est pas comme Salomé qui est très **paresseuse**.

• Luc est un **excellent** étudiant, un étudiant **brillant, doué**. Son frère, au contraire, est un élève **peu doué, médiocre**, presque **nul***, mais il commence à **faire des progrès** car il **s'est mis à travailler** / il **s'est mis au travail** et il a arrêté de **sécher*** les cours (= être absent sans raison).

• Le professeur peut être **sévère, autoritaire, strict** (≠ **décontracté, sympa***), **exigeant** (≠ **peu exigeant**)...

Ce que fait l'enseignant	Ce que fait l'élève, l'étudiant
Enseigner une matière.	Étudier, apprendre.
Avoir cours. Faire, donner un cours.	Avoir cours. Prendre, suivre un cours.
Donner du travail, des devoirs.	Avoir des devoirs à faire, faire ses devoirs.
Préparer ses cours.	Réviser, revoir, apprendre ses leçons.
Corriger les copies.	
Mettre des notes. Noter.	Avoir une bonne ≠ mauvaise note.

1 Est-ce qu'il/elle enseigne ou est-ce qu'il/elle est élève ?

1. Romain apprend à lire aux enfants. → _____

2. Alexandra prépare son cours sur la Révolution française. → _____

3. Léo apprend son cours sur la Révolution française. → _____

4. Ségolène apprend à parler l'anglais. → _____

5. Sergueï apprend le russe à quelques amis français. → _____

6. Laura a fait un cours très intéressant sur le surréalisme. → _____

7. Tim suit des cours d'histoire de l'art le samedi. → _____

8. Leïla n'a pas cours le jeudi après-midi. → _____

2 Trouvez les adjectifs qui caractérisent ces personnages.

1. Quand le prof pose une question, Kevin est toujours le premier à vouloir répondre. _____

2. En cours, Marie ne fait pas de bruit, mais elle n'écoute pas le professeur : elle rêve. _____

3. Adrien travaille peu, mais a toujours les meilleures notes. _____

4. Ce professeur exige le silence en cours et met à la porte tout élève qui bavarde. _____

5. Anaël apprend par cœur ses leçons et fait ses devoirs très sérieusement. _____

6. Julie ne travaille pas du tout à la maison. _____

3 Associez des phrases de sens équivalent.

1. Il travaille beaucoup mais n'a pas de bons résultats.   a. Ses deux notes se compensent.

2. Il s'absente parfois, même sans être malade.   b. Il a enfin décidé de se mettre à travailler.

3. Il note sévèrement.   c. Il fait des progrès constants.

4. Il a eu une bonne et une mauvaise note.   d. Il a obtenu la mention très bien.

5. Il ne participe pas du tout à l'oral.   e. Il n'est vraiment pas doué.

6. Il a eu 8, puis 10, puis 11, puis 13.   f. Il est très timide et ne lève jamais la main en classe.

7. Il a complètement raté ses examens.   g. Il met très rarement de bonnes notes.

8. Il a eu d'excellentes notes au bac.   h. Il sèche de temps en temps les cours.

9. Il travaille deux heures par jour alors qu'avant,   i. Il a réussi son année correctement et est admis
   il ne faisait jamais ses devoirs.   dans la classe supérieure.

10. Il a eu d'assez bons résultats.   j. Il a été recalé et doit redoubler.

4 À vous !

1. Décrivez le système scolaire et universitaire de votre pays.

2. Racontez votre propre scolarité.

19

LA VIE PROFESSIONNELLE

> Le terme « **un métier** » insiste sur l'aspect concret de l'activité, sur un vrai savoir-faire. « **La profession** » désigne simplement une activité permettant de **gagner sa vie**.
> « **Il connaît son métier** » dit-on d'un professeur, d'un boulanger, d'un avocat…

LES QUESTIONS SUR LA PROFESSION

Selon le contexte, les questions seront différentes.

• **Quelle est votre profession ? Vous avez / exercez une activité professionnelle ?** *(langue administrative, officielle).*

• **Qu'est-ce que vous faites, dans la vie ? Qu'est-ce que vous faites comme métier ? Vous travaillez ?** *(langue courante)*

• **Vous travaillez dans quoi* ? Vous êtes dans quoi* ?** *(langue familière)*

LE NOM DES PROFESSIONS

• Beaucoup de noms de professions ont une forme masculine et une forme féminine : un éducat**eur**, une éduca**trice** ; un coiff**eur**, une coiff**euse** ; un infirm**ier**, une infirm**ière** ; un caiss**ier**, une caiss**ière** ; un informatic**ien**, une informatic**ienne**. Pour certains noms, on ajoute un -e : un(e) avocat**(e)** ; un(e) assistant**(e)**.

• L'orthographe féminine de certaines professions a été inventée récemment. On écrit souvent « une auteure », une « ingénieure » ou une « professeure ».

• Certains noms ne changent pas au féminin, surtout quand ils se terminent par un -e : un(e) fleur**iste** ; un(e) interpr**ète** ; un(e) juge ; un(e) libr**aire**.

• Certains termes restent masculins : un **maître d'hôtel**, un **maçon**, un **pompier**, un **chauffeur**… On dira « une femme pompier / chauffeur de taxi / écrivain… »

• Certains noms, au contraire, sont féminins : une **sage-femme** (qui aide à la naissance des bébés), une **femme de ménage**, une **hôtesse de l'air**…

• Des noms de professions sont abrégés dans la langue familière : un(e) **instit*** (= instituteur/-trice) / un(e) **prof*** (professeur(e)), un(e) **kiné*** (= kinésithérapeute), un(e) **technico-commercial(e)*** (= ingénieur technico-commercial)

• On emploie de plus en plus le nom du **poste** (= la fonction) : un(e) **responsable des ventes**, un(e) **chargé(e) de mission**, un(e) **chef de projet**, un(e) **chef de produit**, un(e) **consultant(e)**, un(e) **conseiller (-ère)**…

• Enfin, certains postes sont désignés par un acronyme : **le/la DRH** (**d**irecteur des **r**essources **h**umaines), le **VRP** (**v**endeur **r**eprésentant **p**lacier)…

Remarque. Ne confondez pas <u>le</u> poste (= la fonction) et <u>la</u> poste (pour le courrier).

1 **De quelle profession parle-t-on ?**

1. Tout le monde respecte mon beau métier. Je suis courageux, je sauve les personnes en danger. J'aide les victimes de feux ou d'accidents. Je suis _____.

2. Mon travail est fondamental dans les institutions internationales, car il y a beaucoup de langues différentes, et tout le monde doit communiquer et se comprendre. Je suis _____.

3. Quand mes patients ont des douleurs, ou font de la rééducation après un accident, ils viennent me voir. Je travaille aussi avec des sportifs. Je suis _____.

4. Je travaille dans une grande entreprise, je m'occupe de la carrière des employés, je recrute de nouvelles personnes, je suis _____.

5. Mon métier est magnifique, car je suis là pour aider les bébés à naître et les mamans à accoucher. Je suis _____.

6. C'est moi qui défends les accusés au tribunal, je suis _____.

7. Je passe mes journées devant des ordinateurs, que je répare ou programme, je suis _____.

8. Avec mon véhicule professionnel, je conduis mes clients à destination. Je connais parfaitement la ville. Je suis _____.

2 **Quelle(s) profession(s) auront besoin de ces objets ?**

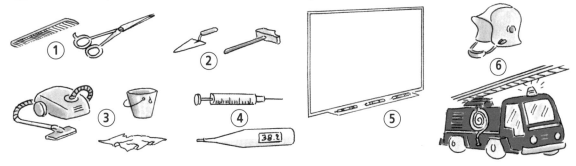

3 **Choisissez, parmi les métiers suivants, ceux qui conviennent à ces petites annonces.**

Responsable des achats – ingénieurs – électricien – coiffeuses – vétérinaire – maître d'hôtel – journalistes – couturières – dessinateur – professeurs – livreurs – assistante – esthéticienne – infirmières

1 Recherchons pour notre directeur une _____ bilingue français-allemand.

2 Grand restaurant lyonnais recherche un _____ expérimenté.

3 Grand magasin recherche une _____ qualifiée.

4 Cabinet d'architectes recherche un _____ industriel expérimenté.

5 Magazine spécialisé en géographie recherche des _____.

6 Hôpital régional recherche deux _____ expérimentées diplômées d'État.

7 Salon de beauté recherche une _____.

8 Fabricant de produits ménagers recherche des _____ commerciaux.

9 Société de transport recherche des _____ disponibles immédiatement.

LES CATÉGORIES SOCIO-PROFESSIONNELLES

On peut aussi décrire l'activité professionnelle de manière moins précise. On utilise alors un mot général qui définit plutôt une catégorie socio-professionnelle.

On peut travailler dans **le secteur public** (= on est payé par l'État) ou **le secteur privé**, dans « **le public*** » ou « **le privé*** ».

La plupart des catégories ont droit à **des congés** (= des vacances) **payés**.

■ Ceux qui ont une activité professionnelle régulière

- **Un(e) employé(e)** travaille dans **un bureau, une banque, une poste**.

- **Un(e) ouvrier (-ière)** est spécialisé(e) dans **un métier manuel** (mécanique, électricité, couture…). Il/elle travaille dans **une usine** ou sur **un chantier de construction**, pour un **patron(-ne)**.

- **Un(e) artisan(e)** est aussi spécialisé(e) dans un métier manuel, mais il/elle travaille « **à son compte** », dans son **atelier**. Il/elle est **travailleur indépendant**.

- **Un(e) commerçant(e)** vend des produits et travaille dans sa **boutique** ou son **magasin**.

- **Un(e) agriculteur (-trice)** cultive des fruits, des légumes, des céréales. Il/elle peut être **viticulteur (-trice)** (Il/elle cultive la vigne et fait du vin).

- **Un(e) chef d'entreprise/un entrepreneur** est à la tête d'**une PME** (petite et moyenne entreprise). Il/elle est **le patron/la patronne** de ses employés.

- **Un(e) fonctionnaire** est employé(e) par l'État.

- **Un(e) cadre** a un statut social élevé. Il/elle **occupe un poste à hautes responsabilités**.

- On peut être aussi un(e) **intellectuel(le)** ou un(e) **artiste**.

■ Ceux qui n'ont pas encore ou n'ont plus d'activité professionnelle

- **Un(e) étudiant(e) en** mathématiques, **en** histoire, va à l'université.

- **Un(e) apprenti(e)** apprend son métier chez un artisan. **Un(e) stagiaire fait un stage** dans une entreprise. Il/elle travaille temporairement pour apprendre un métier et compléter ses études.

- **Un(e) chômeur (-euse)** a perdu son emploi, souvent pour des raisons économiques. Il/elle est **au chômage**. Il/elle **est en recherche d'emploi** : il /elle envoie **son CV** (= Curriculum Vitae) à de futurs **employeurs**.

- **Un(e) retraité(e)** est âgé(e) et a définitivement arrêté de travailler. Il/elle est **en retraite** et reçoit **une pension**. L'âge de la retraite varie selon les pays et les professions.

E X E R C I C E S

1 À quelle catégorie socio-professionnelle appartiennent ces personnes ?

1. Léo possède une belle ferme en Normandie, il produit du lait, du beurre et de la crème._____

2. Denis était comptable, mais il a maintenant 70 ans et ne travaille plus._____

3. Anne est professeur d'université, elle enseigne l'histoire du cinéma. _____

4. Michèle est directrice éditoriale dans une grande maison d'édition parisienne._____

5. L'entreprise où travaillait Luc a fermé, et il est en recherche d'emploi. _____

6. Roland vend d'excellents fromages dans une ville de province. _____

7. Véronique est couturière et travaille dans une usine de textile. _____

8. Mourad a maintenant quinze employés qui travaillent pour lui. _____

2 Mots croisés.

Horizontalement

1. Il a une boutique de vêtements. Il est…

2. Il est plombier et travaille à son compte. Il est…

3. Il a terminé ses études de communication. Il passe deux mois dans une agence de publicité pour perfectionner sa formation. Il est…

4. Il a perdu son emploi. Il est…

5. Il fait des études de médecine à l'université. Il est…

6. Il assemble des pièces de voiture à l'usine Renault. Il est…

Verticalement

a. Elle a commencé comme vendeuse dans un grand magasin, puis elle a eu plusieurs promotions. Aujourd'hui, elle est directrice des achats. Elle est devenue…

b. Elle ne travaille plus, car elle a 70 ans. Elle est en…

c. Il travaille à la campagne, il cultive des céréales. Il est…

d. Il a 17 ans, il apprend son métier chez un artisan. Il est…

e. Elle travaille au ministère de la Culture, et est donc payée par l'État. Elle est…

f. Il travaille dans une banque, mais n'a pas de hautes responsabilités. Il est…

GAGNER SA VIE

• On travaille pour « gagner sa vie ». **Les salariés** reçoivent **un salaire**. Ils peuvent être **bien** ou **mal payés**. Il est agréable de **recevoir une augmentation de salaire** ! Cela se produit quand on **reçoit / a / obtient une promotion**.

– Serge **gagne bien sa vie** ?

– Oui, il gagne **correctement** sa vie (= il n'est ni riche, ni pauvre). Il **est assez bien payé**.

• Les parents donnent souvent de **l'argent de poche** à leurs enfants.

Remarque culturelle. Attention, l'expression « gagner beaucoup d'argent » est plutôt négative en français. Culturellement, l'argent reste un sujet tabou ou, du moins, délicat.

DÉFINIR SON ACTIVITÉ

• **travailler dans** ou **être dans** + secteur d'activité ou lieu de travail.
Dora travaille dans l'informatique. Florence est dans l'enseignement. Ali travaille dans une boutique de vêtements.

• **travailler comme** + fonction
Ariel a un diplôme de philosophie, mais il travaille comme serveur dans un restaurant !

• **faire** + activité occasionnelle
Sophie fait du baby-sitting. Serge fait des gardes de nuit dans un grand hôtel.

• **s'occuper de** + activité (*surtout quand cette activité correspond à une fonction plutôt qu'à un métier bien précis*).
Je m'occupe de la promotion des nouveaux produits et mon mari s'occupe de personnes handicapées.

PARLER DE SON TRAVAIL

• JÉRÔME : « Je suis **responsable des** achats dans une entreprise de mécanique. Je **prospecte** pour trouver **des marchés**, je **signe des contrats** et je **m'occupe des fournisseurs** (= entreprise qui vend des produits à une autre entreprise). Dans mon travail, je dois savoir **négocier, calculer et gérer une équipe**. Je **gagne bien ma vie**. Je fais **une belle carrière**. »

• JOSEPH : « Je suis livreur. Le travail est **fatigant, dur** et **ennuyeux** et je **suis mal payé**. Mon rêve est de trouver un autre emploi plus intéressant. J'espère **suivre une formation pour devenir technicien en logistique**. »

• PATRICIA : « Je suis aide-soignante à domicile. Je m'occupe principalement de personnes âgées. Je les aide dans leur vie quotidienne. Je dois être **adroite, douce, bien organisée** et **toujours de bonne humeur** ! C'est important pour mes patients. **Je ne gagne pas beaucoup d'argent**, mais **j'adore mon métier**. »

E X E R C I C E S

1 **Choisissez la bonne réponse.**

1. Clément travaille | dans | comme | l'industrie pharmaceutique.

2. Sébastien est responsable | pour | de | la promotion des produits.

3. Héloïse | s'occupe | fait | du baby-sitting pour ses voisins.

4. Lise | gère | négocie | une équipe d'infirmières.

5. Emma déteste son travail, qui est | ennuyeux | intéressant |.

6. Isabelle a eu une belle | promotion | vie |, elle est devenue | employée | cadre |.

2 **Complétez par un terme approprié.**

1. Sonia est très contente, son patron lui a donné une _____ de salaire.

2. Malheureusement, Éric ne _____ pas bien sa vie.

3. Ma fille de 16 ans _____ du baby-sitting pour gagner de l'argent de _____.

4. Roland travaille _____ réceptionniste dans un hôtel, mais il est mal _____ !

5. Caroline _____ d'enfants handicapés dans une école spécialisée.

6. Naïma travaille _____ les médias.

7. Philippe a fait de grosses opérations financières, il a gagné beaucoup _____ !

3 **Vrai ou faux ?**

	VRAI	FAUX
1. Il est bien payé = il gagne bien sa vie.	☐	☐
2. Elle s'occupe des fournisseurs = elle adore son métier.	☐	☐
3. Ils travaillent dans l'enseignement = ils sont artistes.	☐	☐
4. Il a reçu une augmentation de salaire = il sera mieux payé.	☐	☐
5. Elle travaille comme vendeuse = elle est chef d'entreprise.	☐	☐
6. Il gagne correctement sa vie = il gagne énormément d'argent.	☐	☐
7. Elle reçoit de l'argent de poche = elle est salariée d'une entreprise.	☐	☐

4 **À vous !**

1. Avez-vous une activité professionnelle ? Laquelle ? Pouvez-vous expliquer ce que vous faites, exactement ?

2. Dans votre langue, comment parle-t-on des professions ? Y a-t-il des formes masculines et féminines des mêmes professions ?

3. Trouvez-vous, dans votre langue, des mots équivalents à « métier », « profession » et « poste » ?

4. Est-il poli / normal / rare / bizarre de demander à quelqu'un sa profession ?

5. Dans votre culture, parle-t-on facilement de son salaire ?

20

LA TECHNOLOGIE

L'INFORMATIQUE

un écran
une unité centrale
un câble branché à une prise électrique
une imprimante
une souris (sans fil)
un clavier et une touche
un ordinateur portable
une clé USB
un scanner
une cartouche d'encre

• D'abord, je **branche** (≠ **débranche**) l'ordinateur, puis je l'**allume** (≠ **éteins**). J'**ouvre** (≠ **ferme**) **un dossier**, dans lequel se trouvent des **fichiers**. Je **branche une clé USB**, **sur laquelle** je peux **sauvegarder** (≠ **jeter**) des **données**.

• Je **saisis / tape** (≠ **efface**) un texte : je peux **couper** des phrases, puis les **coller** ailleurs. C'est le « **couper-coller** ». J'**enregistre**, puis j'**imprime** le document. Je **fais / prépare un Powerpoint** pour une réunion. Je peux aussi **stocker des photos**, **scanner des documents** et tout **mettre sur un CD-Rom** que j'**ai inséré**.

• Je dois acheter **un** nouveau **logiciel** (= **un programme informatique**) de **traitement de texte** (pour écrire des documents). Je vais aussi **augmenter la mémoire de mon disque dur**. Les ordinateurs doivent être **compatibles** entre eux. Les problèmes de **compatibilité** sont encore fréquents, hélas…

• En conclusion, comme je suis bien **équipée en informatique**, je **passe mon temps sur / devant mon ordinateur** !

L'INTERNET

• Avec **une connexion Internet**, avec **la Wifi**, **j'ai accès à la Toile / le Web**, je **surfe sur** Internet. Je **consulte des sites**, je **fais des opérations en ligne** (achats, réservations…). Avec **une adresse électronique / une adresse mail**, je peux envoyer **un mail** (= **un courrier électronique** = **un courriel**) et **des pièces jointes**.

• Certains **sont sur / communiquent par** Facebook, Twitter, Skype ou **tiennent / ont un blog**.

• Sous certaines conditions, on peut **télécharger** des documents, des logiciels, des émissions de télévision, mais **le téléchargement** est parfois illégal.

E X E R C I C E S

1 **Répondez par le contraire.**

1. Vous branchez votre ordinateur ? – Non, _____

2. Vous avez sauvegardé le document ? – Non, _____

3. Vous avez tapé des phrases ? – Non, _____

4. Vous allumez votre imprimante ? – Non, _____

5. Vous avez fermé le dossier ? – Non, _____

2 **Vrai ou faux ?**

	VRAI	FAUX
1. Un clavier comporte des touches.	☐	☐
2. On peut imprimer des documents sur un imprimeur.	☐	☐
3. Avec une adresse électronique, je peux scanner des documents.	☐	☐
4. Quand je veux utiliser mon ordinateur, je le télécharge.	☐	☐
5. On sauvegarde un document qu'on ne veut pas jeter.	☐	☐
6. Elle stocke des photos sur son disque dur.	☐	☐
7. Le fichier se trouve dans le dossier.	☐	☐
8. Nous allumons une clé USB.	☐	☐

3 **Choisissez la bonne réponse.**

1. Il est parfois illégal de ⎹ sauvegarder ⎹ télécharger ⎹ des documents.

2. Le câble est branché à une ⎹ prise ⎹ touche ⎹ électrique.

3. J'ai d'abord ⎹ coupé ⎹ inséré ⎹ la phrase, puis je l'ai collée dans un autre chapitre.

4. Je ⎹ jette ⎹ sauvegarde ⎹ des fichiers sur une clé USB.

5. Est-ce que vous ⎹ êtes ⎹ faites ⎹ sur Facebook ?

6. Je dois changer ⎹ l'unité ⎹ la cartouche ⎹ de mon imprimante.

4 **Complétez le texte.**

« Vive l'informatique… J'ai eu beaucoup de mal à _____ mon ordinateur que j'avais éteint hier soir. Ensuite, j'ai voulu _____ des photos sur mon disque _____, mais cela n'a pas marché. Ensuite, j'ai _____ par erreur un texte que je venais de taper ! Enfin, impossible de retrouver ma _____ USB… C'est décidé, je retourne au crayon et au papier ! »

5 **À vous ! Quel est votre rapport à l'informatique ?**

1. Êtes-vous bien équipé(e) ? Quels appareils employez-vous ?

2. Quelles opérations faites-vous le plus souvent en ligne ?

3. Écrivez-vous encore des documents à la main ? Lesquels ? Pourquoi ?

4. Tenez-vous un blog (professionnel ou personnel) ? Pour quelles raisons ?

5. Combien de temps passez-vous sur votre ordinateur ?

LE MULTIMÉDIA

- **Le téléviseur** (= **le poste de télévision**), **le poste de radio**, **le transistor**, etc., sont des **appareils**.
- Grâce à **un lecteur-graveur DVD**, on peut **enregistrer** des émissions ou regarder un film.
- Avec **un caméscope**, on **filme** des événements.

■ La télévision

- Tous les soirs, les Joubert **sont devant la télé / leur téléviseur / leur poste**. Ils **allument** la télévision, ils **appuient sur la touche** appropriée de **la télécommande**. Ils regardent **le journal télévisé** (= **les informations** = **les infos***). Ils n'ont pas **la télévision par câble**, mais ils ont une « **parabole** » (= **une antenne parabolique**). Ils **ont accès à** un **bouquet numérique** (= de très nombreuses chaînes de TV). Ils **mettent une chaîne** qui propose **des émissions** de variété ou de sport. Ils **changent de** chaîne, ils **zappent***, quand le programme ne leur plaît pas.
- – **Qu'est-ce qu'il y a, ce soir, à la télé ?**
  – Il y a **un feuilleton / une série** (= un film à épisodes) **sur** la première chaîne et **un documentaire sur** TV5 monde.

■ La radio

- Yasmina écoute la radio dans sa voiture, grâce à son **autoradio**. Elle **met** toujours **la** même **station** de radio, car elle aime bien **les émissions** politiques du matin. Elle écoute **les interviews** et **les débats**. Elle a aussi acheté **un** petit **transistor** pour écouter la radio dans sa cuisine.

Remarque. Le « **programme** » est l'ensemble des émissions de radio ou de télévision.

■ La hi-fi

- Gautier a **une** belle **chaîne hi-fi**, avec **un tuner** (pour la radio), **un amplificateur** (**un ampli***) et deux **enceintes / haut-parleurs**. Gautier écoute **ses CD**. Souvent, il **monte le son** et les voisins protestent. Ils lui demandent de **baisser le son**, de **mettre moins fort**. Gautier va donc acheter **un casque**, pour pouvoir écouter de la musique aussi **fort** qu'il veut, sans déranger les voisins.

- Dans le train, Gautier écoute de la musique avec **son lecteur MP3**. Il peut **régler le volume** librement.

1 **Choisissez la bonne réponse.**

1. Ma mère passe sa journée | devant | derrière | sa télé.

2. Tu connais le | programme | journal | de ce soir ?

3. Elle veut | regarder | baisser | le feuilleton à la télé.

4. Grâce au | son | casque |, je peux écouter de l'opéra sans gêner les voisins.

5. Je voudrais zapper, mais je ne trouve plus ma | chaîne | télécommande |.

6. Nous allons acheter un nouveau | poste | programme | de télévision.

7. Vous devez | enregistrer | appuyer | sur cette touche.

8. Quelle chaîne est-ce que tu | fais | mets | ?

2 **Vrai ou faux ?**

	VRAI	FAUX
1. On peut regarder une émission à la radio.	☐	☐
2. Grâce à son antenne parabolique, il a accès à plusieurs chaînes de télévision.	☐	☐
3. Je regarde une station de télévision.	☐	☐
4. Le son est trop fort, vous pouvez le monter ?	☐	☐
5. Nous avons acheté un transistor pour écouter la radio dans la voiture.	☐	☐
6. Ils regardent le journal tous les soirs à la télévision.	☐	☐

3 **De quoi parle-t-on ?**

1. Cela me permet de recevoir un bouquet numérique. → _____

2. Je le baisse pour ne pas gêner les voisins. → _____

3. Nous le regardons tous les soirs, pour avoir des nouvelles du monde. → _____

4. Nous allons l'utiliser pour filmer le mariage de notre fille. → _____

5. J'appuie sur cet objet pour zapper. → _____

6. Nous en avons déjà vu quatre épisodes. → _____

7. Il nous permet de regarder les DVD. → _____

4 **Complétez.**

1. Quelle chaîne est-ce que tu _____ ? *(2 possibilités)*

2. Impossible de dormir ! Est-ce que vous pouvez _____ le son de votre télé ?

3. Mon grand-père passe ses journées devant son _____.

4. Quelles sont vos _____ de radio favorites ?

5. Avant de se coucher, Émilie _____ la télévision.

6. Pour avoir _____ à cette chaîne, il vous faut une _____ parabolique.

7. Le matin, nous écoutons les _____ politiques à la radio.

8. Je ne veux pas rater le dernier épisode de ce _____ !

LE TÉLÉPHONE

Un téléphone fixe sans fil : la base et le combiné avec les touches.

• Même si la technologie évolue constamment, on conserve certains termes anciens. Par exemple : **on décroche le téléphone** (= **on répond au téléphone**).

• On **allume** (≠ **éteint**) son **téléphone mobile / son portable**. Pour ne pas déranger, on le met **en mode vibreur**. On peut aussi utiliser un **kit mains libres**.

Remarque. Les Français emploient indifféremment les deux termes : le « mobile » ou le « portable ».

• J'ai essayé de **joindre** (= **contacter**) Louise **sur** son portable, mais **je suis tombé sur son répondeur / sa messagerie**. Je lui **ai laissé un message**, j'espère qu'elle va me **rappeler** très vite. Sinon, je vais lui **envoyer un texto / un sms**. Je **communique** souvent **par** texto / sms avec elle, car elle est souvent **injoignable** (= impossible à joindre).

• Je téléphone à ma grand-mère, je lui **passe un coup de fil* / un coup de téléphone***, mais **ça sonne occupé** depuis une heure. C'est bizarre… **Sa ligne est** peut-être **en dérangement** (= a un problème technique) ? **Je réessaye*** un peu plus tard. Ah maintenant, **ça sonne**. **Je laisse sonner dix coups**, mais **elle ne répond pas**. Je **raccroche**. Je vais peut-être **recevoir un appel** (= un coup de fil / un coup de téléphone) de ma grand-mère un peu plus tard ! Ah voilà ! **Mon mobile sonne**, c'est elle !

• J'**étais au téléphone** avec Isabelle, mais nous **avons été coupés***. C'est à cause de mon mobile : je suis dans le train et **il n'y a pas de réseau** là où je me trouve maintenant. Heureusement, Isabelle pourra me **joindre sur « mon fixe »** (= **mon téléphone fixe**) tout à l'heure.

• Quand on consulte un service téléphonique, on entend généralement ce genre de message :
« Bienvenue sur le service d'informations. **Appuyez sur la touche étoile** (*) de votre clavier téléphonique. **Composez votre identifiant** (= **un code secret**), puis appuyez sur **dièse** (#). Pour un problème technique, **tapez** 1. Pour parler à un technicien, tapez 2. Pour **revenir au menu principal**, tapez 0. »

• Certains téléphones **sont équipés d'un fax**. On peut **envoyer** ou **recevoir** un fax. On peut aussi **faxer** un document.

E X E R C I C E S

1 Vrai ou faux ?

	VRAI	FAUX
1. J'appuie sur la touche dièse de mon clavier téléphonique.	☐	☐
2. On peut joindre Mourad sur son mobile.	☐	☐
3. Pour finir une conversation téléphonique, je décroche.	☐	☐
4. Pour parler à Sylvain, je lui envoie une ligne.	☐	☐
5. Ils ont décroché leur messagerie.	☐	☐
6. Sur quelle ligne je dois appuyer pour revenir au menu principal ?	☐	☐
7. Pour ne pas déranger les voisins, j'allume mon portable.	☐	☐
8. C'est bizarre, je laisse sonner et ça ne répond pas.	☐	☐

2 Complétez.

1. Julien _____ au téléphone, il ne peut pas te parler.

2. Zut, ça _____ occupé !

3. Je ne peux pas utiliser mon mobile, dans cette zone, il n'y a pas de _____.

4. Vous voulez _____ un message sur le répondeur de Séverine ?

5. Puisqu'elle n'est pas là, je la _____ un peu plus tard, de mon mobile.

6. Monsieur, vous _____ un appel de votre entreprise hier soir.

7. Tu peux me _____ sur mon fixe, je suis à la maison.

8. Pour accéder à ce service, vous devez _____ votre identifiant.

3 Choisissez les termes possibles.

1. J'éteins | mon ordinateur | mon téléphone mobile | mon émission | ma touche |.

2. Elle | passe | contacte | joint | compose | son amie Christine.

3. Nous | décrochons | éteignons | recevons | raccrochons | le téléphone fixe.

4. Ils aiment bien cette émission de | mobile | radio | téléphone | télévision |.

5. Ils appuient sur la touche | du téléphone | de la télécommande | du clavier | du menu |.

6. Elle est devant son | casque | ordinateur | mobile | poste |.

7. Ils veulent | télécharger | mettre | écouter | regarder | une émission.

4 Répondez aux questions sur la technologie.

1. Quels appareils peuvent avoir un clavier ? _____

2. Sur quoi peut-on appuyer pour faire marcher un appareil ? _____

3. Quels appareils peut-on éteindre ? _____

4. Quels mots familiers signifient « un appel » ? _____

5. Quels appareils peut-on brancher ? _____

6. Que peut-on faire pour ne pas déranger les voisins ? _____

21 L'ARGENT – LA BANQUE

VOUS PAYEZ COMMENT ?

• Il est possible de **régler** (= **payer**) de diverses manières : différents **règlements** (= **paiements**) sont courants.

■ En espèces

• Quand on **fait des achats**, on peut payer **en espèces** = **en liquide*** (= avec des pièces et des billets). On met **les pièces** dans **le porte-monnaie**, et **les billets** dans **le portefeuille**.

• Vous achetez un livre qui coûte 16 € :
– vous **avez la monnaie** = vous **avez** / **faites l'appoint** (vous donnez exactement 16 euros) ;
– vous n'avez pas la monnaie et vous donnez un billet de 20 €. La vendeuse vous **rend la monnaie** : 4 euros.

Remarque. Ne confondez pas « la monnaie » et « l'argent ». Par exemple, Bernard est riche, il a beaucoup d'argent, mais il n'a pas la monnaie pour prendre un café à la machine automatique. Henri, en revanche, n'a pas beaucoup d'argent, mais il a une pièce de 1 € pour prendre un café.

• Vous avez un billet de 5 euros, mais vous avez besoin d'une pièce de un euro : vous devez **faire la monnaie**. Vous demandez à quelqu'un : « Est-ce que vous **auriez la monnaie** de 5 euros, s'il vous plaît ? »

■ Par chèque

Si on paye par chèque : on sort son **carnet de chèque / chéquier**, puis on **fait** un chèque : on le **remplit**, puis on le **signe**. Quel est **le montant** du chèque ? Le montant (= la somme) est de 75,30 euros.

ordre (nom du destinataire du chèque)   montant en toutes lettres   montant en chiffres
→ libeller un chèque à l'ordre de…

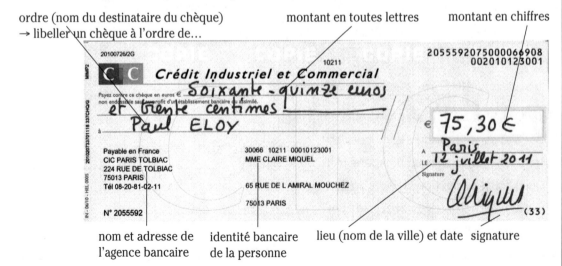

nom et adresse de l'agence bancaire   identité bancaire de la personne   lieu (nom de la ville) et date   signature

E X E R C I C E S

1 Choisissez la bonne réponse.

1. Vous payez comment ?

  a. ☐ Avec mon porte-monnaie.   **b.** ☐ Par chèque.

2. Vous avez la monnaie ?

  a. ☐ Non, je n'ai pas d'argent.   **b.** ☐ Non, j'ai seulement un billet de 20 €.

3. Il me faut de la monnaie pour prendre un chariot au supermarché.

  a. ☐ Tiens, voilà une pièce de 1 €.   **b.** ☐ Tiens, voilà un billet de 50 €.

4. Vous avez l'appoint ?

  a. ☐ Oui, voilà 8,95 €.   **b.** ☐ Oui, voilà de l'argent.

5. Le chèque est à quel ordre ?

  a. ☐ 91,68 euros.   **b.** ☐ Grégoire Lambert.

6. Que fait la vendeuse ?

  a. ☐ Elle me rend mon argent.   **b.** ☐ Elle me rend la monnaie.

7. Sabine a de l'argent ?

  a. ☐ Non, elle n'a pas de monnaie.   **b.** ☐ Oui, mais elle n'a pas de monnaie.

2 Vrai ou faux ?

	VRAI	FAUX
1. Si vous avez l'appoint, le commerçant vous rend la monnaie.	☐	☐
2. On met les pièces dans un portefeuille.	☐	☐
3. Si vous ne payez pas en liquide, vous pouvez payer en espèces.	☐	☐
4. Nous pouvons faire un chèque à un médecin.	☐	☐
5. Si vous achetez une baguette avec un billet de 50 €, on vous rendra la monnaie.	☐	☐
6. On doit signer un chéquier après l'avoir rempli.	☐	☐
7. Sur un chèque, on écrit le montant en chiffres et en lettres.	☐	☐

3 Choisissez les termes possibles.

1. Héloïse | fait | signe | paye | remplit | un chèque.

2. Sur le chèque, on écrit | le montant | la date | l'ordre | l'argent |.

3. Alain | rend | règle | paye | fait | en espèces.

4. Laurent a | de l'argent | en liquide | la monnaie | l'appoint |.

5. Est-ce que vous avez | un billet | des espèces | l'argent | la monnaie | de 10 € ?

4 Complétez le dialogue.

1. – Voilà, ça fait 12,51 €. Vous _____ comment, madame ?

2. – En _____. Tenez ! Je suis désolée, je n'ai pas de _____, j'ai juste un _____ de 100 €.

3. – Ce n'est pas grave, je peux vous _____ la _____ sans problème.

■ Par carte bancaire

On appelle « carte bancaire » toutes les **cartes de crédit**, **cartes bleues**, carte Visa, etc.

Pour payer par carte bancaire, il faut avoir **un code secret** (un numéro à 4 chiffres).

Avec la carte bleue, on peut aussi **retirer** = **prendre** de l'argent **au distributeur de billets / guichet automatique**. Voici ce que dit l'appareil :

– Introduisez votre carte

– Composez (ou : tapez) votre code secret, puis validez

– Choisissez votre montant (20 €? 50 €? 100 €? Autres montants ?)

– Veuillez patienter (= attendez, s'il vous plaît)

– Désirez-vous un reçu / un ticket ? 1. Oui 2. Non

– Vous pouvez retirer votre carte

– Prenez vos billets

– Merci de votre visite

– En cas de perte ou de vol, contactez votre banque pour faire opposition

À LA BANQUE

• D'abord, vous **ouvrez** (≠ **fermez**) **un compte en banque** = **un compte courant**. Vous recevez régulièrement **un relevé de compte** qui indique toutes vos **opérations bancaires**. Cela vous permet de **faire vos comptes**. Vous pouvez **consulter** et **gérer** vos comptes sur Internet.

• Sur un compte, vous **versez** / **mettez** de l'argent = vous **approvisionnez** = **alimentez** le compte, en **déposant** de l'argent, des espèces ou un chèque. Si vous avez besoin d'argent, vous faites le contraire : vous **retirez** = **prenez** de l'argent.

• Si vous avez trop dépensé, si votre compte est en dessous de zéro, le compte est **débiteur**, il est **à découvert**, « **dans le rouge** » : **le solde** de votre compte est **négatif**. Au contraire, s'il y a de l'argent sur le compte, celui-ci est **créditeur**, le solde est **positif**.

• Si vous avez fait un chèque, mais qu'il n'y a pas d'argent sur votre compte, vous faites **un chèque sans provision**.

• Si vous voulez **économiser** = **épargner** de l'argent, **mettre de l'argent de côté**, vous ouvrez **un compte d'épargne**. Vous pouvez aussi **placer** votre argent. Si vous faites **un bon placement**, vous **toucherez** / **percevrez** / **recevrez des intérêts** (**un pourcentage** de **bénéfice**).

• Pour **transférer** de l'argent **d'**un compte **sur** un autre compte, vous **faites un virement**, vous **virez une somme**. Vous pouvez aussi payer certaines factures par **prélèvement automatique** : une somme **est** directement **prélevée** de votre compte.

E X E R C I C E S

1 **Choisissez les termes possibles.**

1. Mon compte est à découvert, il est | automatique | débiteur | créditeur | courant |.

2. Nous avons | placé | ouvert | alimenté | touché | un compte.

3. Je dois consulter | un prélèvement | mon compte | un chèque | une somme |.

4. Mes amis ont décidé | d'approvisionner | d'économiser | d'épargner | de fermer | de l'argent.

5. Est-ce que vous payez vos factures | par prélèvement | à découvert | sans provision | par chèque | ?

6. J'approvisionne mon compte, je | retire | verse | dépose | touche | de l'argent sur ce compte.

7. Il fait | un virement | ses comptes | ses intérêts | un solde |.

2 **Vrai ou faux ?**

	VRAI	FAUX
1. Pour prendre de l'argent au distributeur de billets, il faut composer un code secret.	☐	☐
2. Un compte à découvert est dans le rouge.	☐	☐
3. On perçoit régulièrement un relevé de compte.	☐	☐
4. Un compte d'épargne permet de gérer des opérations bancaires.	☐	☐
5. Si le compte est créditeur, son solde est positif.	☐	☐
6. Avec une carte bancaire, il est possible de retirer de l'argent au distributeur de billets.	☐	☐
7. Quand on transfère de l'argent, on fait un virement.	☐	☐
8. Si on fait un chèque sans provision, c'est que le compte est débiteur.	☐	☐

3 **Complétez le texte par des termes appropriés.**

Barbara n'est pas contente. Elle a reçu son _____ de compte et elle a eu un choc. Elle a _____ ses comptes pour tout vérifier, mais son compte courant est à _____, il est dans le _____ ! Bien sûr, elle a mis de l'argent de _____, mais elle le réservait à un grand voyage. C'est raté ! Elle va devoir _____ son compte courant sinon le _____ restera négatif.

4 **Trouvez un synonyme aux termes soulignés.**

1. Blandine va prendre de l'argent au guichet automatique. _____

2. Zohra doit alimenter son compte courant. _____

3. Madeleine va mettre un chèque sur un compte d'épargne. _____

4. Avec ce compte, Madeleine touche des intérêts. _____

5. Le compte courant de Christophe est dans le rouge. _____

6. Je dois transférer une somme de mon compte d'épargne sur mon compte courant. _____

7. Veuillez composer votre code secret. _____

■ Les devises

• **La devise** / **monnaie** européenne est l'euro. La Suisse emploie **le franc suisse**. De nombreux pays africains utilisent **le franc CFA**.

• Quand on voyage à l'étranger, il faut parfois **changer** de l'argent dans **un bureau de change.**

– Quelle est **la valeur** / **le cours** du **dollar**, aujourd'hui ?

– Le dollar **s'échange à** 1,12 euro.

■ Le budget

• **Les revenus** (**les rentrées** d'argent) et **les dépenses** constituent **le budget**. On parle du budget d'une entreprise, de l'État…

Dans le langage courant, le mot signifie l'argent disponible : « Roland voudrait acheter un appartement, mais ce sera difficile, car il a **un petit budget**. »

Parfois, le mot « budget » signifie aussi l'argent dépensé : « C'est un film à petit budget, mais très intéressant. » « C'est un spectacle à très gros budget ! »

• Si on **manque** (= on n'a pas assez) **d'argent**, on peut **emprunter** une somme à un ami : après cela, on a **des dettes**, on **doit** de l'argent à cet ami. On risque de **s'endetter** (= avoir trop de dettes).

« Il faut que je **rende** à Léa les cent euros qu'elle m'**a prêtés**. Je lui dois cent euros. »

■ Prêter / emprunter

• Le verbe « emprunter » met la personne qui le fait en situation de relative infériorité.

On emprunte quelque chose d'important pour soi. « Je serai obligé d'emprunter la voiture de mes parents. » « Il a dû emprunter de l'argent à sa famille. »

• La personne qui prête est en situation relativement supérieure. « Nous avons prêté de l'argent à notre fils. » « Elle a prêté sa voiture à des amis. »

• On emploie aussi le verbe « prêter » dans des situations simples et quotidiennes :

« Malika, tu peux me prêter un stylo ? » « C'est un bon livre. Je te le prêterai, si tu veux. »

FAIRE DES ACHATS

• Vous faites un achat important (une voiture, une maison) :

– vous pouvez **payer comptant** (= toute la somme) ou en plusieurs fois **sans frais** (= sans rien payer de plus) ;

– vous achetez **à crédit** : vous devez **emprunter de l'argent** à la banque = vous **faites un emprunt** (= **un prêt**). La banque vous propose un prêt **à** 3,8 % **sur** 15 ans, par exemple. Vous devez **rembourser** votre prêt par **mensualités**. **Le remboursement** prend 15 ans.

E X E R C I C E S

1   Associez. Plusieurs solutions sont parfois possibles.

1. Il doit de l'argent à quelqu'un, donc…
2. Il a emprunté de l'argent, donc…
3. Il rembourse son prêt, donc…
4. Il manque d'argent, donc…
5. Il change de l'argent, donc…
6. Il achète à crédit, donc…
7. Il rend de l'argent, donc…

a. il cherche une devise étrangère.
b. il ne paye pas son achat comptant.
c. il rembourse l'argent qu'on lui a prêté.
d. il devra emprunter de l'argent.
e. quelqu'un lui a prêté de l'argent.
f. il a des dettes.
g. il a emprunté de l'argent à la banque.

2   La personne qui parle a-t-elle prêté ou emprunté quelque chose ?

1. « Tu peux garder mon dictionnaire jusqu'à vendredi. » → _____

2. « J'ai presque fini de rembourser mon prêt. » → _____

3. « Vous pouvez payer en trois fois, sans frais. » → _____

4. « Je ne sais pas dire non à un ami qui manque d'argent. » → _____

5. « Zut, je n'ai pas de stylo ! Vous auriez un stylo pour signer le chèque ? » → _____

6. « Mes mensualités sont un peu trop lourdes pour mon budget ! » → _____

3   Que vont faire ces personnes ?

1. Yaëlle et Antoine vont acheter un petit appartement, mais ils n'ont pas assez d'argent.

→ _____

2. Yves est millionnaire et il va acheter une voiture, sans problème !

→ _____

3. Sylvain doit 500 euros à une amie. Heureusement, il a trouvé un travail et aura un bon salaire.

→ _____

4. Augustin est banquier, il a devant lui des clients qui vont acheter une maison.

→ _____

5. Serge n'arrête pas d'emprunter de l'argent, et il ne rembourse rien…

→ _____

6. Colette a un peu d'argent de côté et elle sait que son neveu a besoin de 2 000 euros.

→ _____

4   Complétez par un terme approprié.

1. Le yen est la _____ japonaise.

2. Paul a beaucoup emprunté, donc il a beaucoup de _____.

3. Nous avons un _____ à la banque, pour 20 ans.

4. Quel est le _____ du franc suisse, aujourd'hui ?

5. Il est important d'équilibrer le _____ de cette entreprise.

GAGNER DE L'ARGENT

Il est important de **gagner sa vie**, de **gagner de l'argent** pour vivre. *(voir chapitre 19)*

Le revenu est le terme général pour l'argent que l'on perçoit. On paye à l'État **l'impôt** (**des taxes**) **sur** le revenu.

– Un salarié **touche** / **reçoit** / **perçoit un salaire**.

– Un travailleur indépendant (un médecin, un avocat…) reçoit **des honoraires**.

– Une entreprise **fait des bénéfices**. Il est important de **partager** les bénéfices.

– Les parents donnent de **l'argent de poche** à leurs enfants.

L'HOMME ET L'ARGENT

• Quand leurs parents sont morts, Cécile et Séverine **ont reçu** / **fait un héritage**, **elles ont hérité d'**une grande maison en Bretagne.

• On peut être **aisé** < **très aisé(e)** < **riche** / **fortuné(e)** : cette vieille dame est **millionnaire** et peut-être même **milliardaire**. C'est l'une des plus grosses **fortunes** du pays. Certains envient **sa richesse**.

• Quentin et Edwige **ont les moyens de** s'acheter une belle maison (= ils ont assez d'argent).

• Madeleine et Rémi, au contraire, **n'ont pas les moyens de** s'acheter une maison, car ils ont **des revenus modestes**, **ils « ne roulent pas sur l'or »**.

• Laurent vient d'une famille **défavorisée** (= pauvre) : il est **fauché***, **il n'a pas un sou**, il souffre de **sa pauvreté**.

Remarque. On peut parler d'un quartier défavorisé (≠ un quartier riche).

• Charlotte est **dépensière** : elle a tendance à « **jeter l'argent par les fenêtres** ».

• Guy était riche, mais il a perdu sa fortune : il est **ruiné**, tout le monde est étonné par sa **ruine financière**…

• Brice déteste **dépenser** : il est **avare**, **radin***, **près de ses sous***.

Remarques. **1.** Le terme « riche » est souvent péjoratif. **2.** On se moque souvent des « **nouveaux riches** ». **3.** Culturellement, il est mal vu d'être avare. Connaissez-vous la célèbre pièce de Molière, *L'Avare* ?

QUELQUES PROVERBES

La langue française a d'innombrables expressions et proverbes concernant l'argent. Mentionnons :

« **Quand on aime, on ne compte pas.** »

« **L'argent ne fait pas le bonheur…** »

E X E R C I C E S

1   Choisissez la ou les bonne(s) réponse(s).

1. On | gagne | fait | roule | de l'argent.

2. Ils | touchent | héritent | reçoivent | un salaire.

3. On paye des | revenus | moyens | impôts | à l'État.

4. Mon dentiste perçoit | de l'argent de poche | des honoraires | des bénéfices |.

5. On peut gagner | un héritage | des impôts | sa vie |.

6. Il reçoit | de l'argent de poche | un salaire | des moyens |.

2   Vrai ou faux ?

	VRAI	FAUX
1. Elle jette l'argent par les fenêtres = elle est ruinée.	☐	☐
2. Ils sont très riches = ils sont radins.	☐	☐
3. Il ne roule pas sur l'or = il a des revenus modestes.	☐	☐
4. Ils n'ont pas un sou = ils sont très dépensiers.	☐	☐
5. Ils ont fait un héritage = ils ont partagé leur fortune.	☐	☐
6. Elle est près de ses sous = elle n'a pas un sou.	☐	☐
7. Il est très aisé = il est riche.	☐	☐
8. Ils sont avares = ils détestent dépenser.	☐	☐

3   Associez une situation et une explication.

1. Elle achète sans arrêt des vêtements très chers
qu'elle ne porte jamais.   **a.** Elle est radine.

2. Quand ils ont un peu d'argent,
ils le dépensent tout de suite.   **b.** Ils n'ont pas les moyens de s'acheter une maison.

3. Ils n'ont pas de problèmes financiers,
leur vie est facile.   **c.** Elle jette l'argent par les fenêtres.

4. Laure gagne bien sa vie, mais elle trouve
qu'une baguette est vraiment trop chère pour elle !   **d.** Il est fauché.

5. Ils sont tous les deux ouvriers, ils ont des revenus
très modestes.   **e.** Ils sont dépensiers.

6. Cet étudiant n'a vraiment pas beaucoup d'argent !   **f.** Ils sont aisés.

4   À vous ! Parlez de votre pays/culture.

1. Parle-t-on facilement de l'argent, de la richesse ? Pourquoi ?

2. Quels sont les proverbes les plus couramment employés à propos de l'argent ?

3. La richesse est-elle considérée comme une qualité ?

4. Se moque-t-on des nouveaux riches ou des avares ? Pourquoi ?

22 DIVERSITÉ, POLITIQUE ET SOCIÉTÉ

LA DIVERSITÉ

La population française est de plus en plus **mélangée**, car elle est d'origine variée. **La diversité culturelle** (= **le multiculturalisme**) se développe. La société doit gérer **l'immigration** (= l'arrivée de travailleurs étrangers) et proposer des solutions pour permettre **l'intégration** des **immigrés**. En même temps, on essaye de **lutter contre les discriminations**.

VOUS ÊTES D'OÙ ? VOUS VENEZ D'OÙ ?

Radu : **J'ai la double nationalité** française et roumaine (= **je suis moitié** français, **moitié** roumain). Ma femme est française, **d'origine** polonaise. Elle est **naturalisée française** depuis dix ans (= elle **a obtenu** officiellement **la nationalité** française).

ALI : Je suis **beur**. Je suis né en France, mais mes parents sont **maghrébins**, ils **sont originaires du** Maghreb (Afrique du Nord). Je parle aussi bien l'arabe que le français.

JOSEPH : Moi, je suis **étranger**, je suis **réfugié politique**. J'ai quitté mon pays, et **j'ai demandé** et obtenu **l'asile politique** en France. J'ai fait mes études en Afrique et je suis **francophone**.

JESSICA : Je suis philippine, je suis **immigrée** en France (= je suis venue temporairement pour travailler).

MARYAM : Je suis **exilée**, j'ai définitivement quitté mon pays, pour des raisons politiques et économiques. Je ne sais pas si je pourrai y retourner un jour. Je **vis en exil** en France.

THÉRÈSE : Eh bien moi, je suis **une petite provinciale** ! J'habite à Paris, mais je ne suis pas parisienne, je suis bretonne. Je m'ennuie de **ma province**, où la vie est plus calme qu'ici !

Remarque. On entend de plus en plus l'expression « **en région** » à la place de « en province ». En effet, les adjectifs « parisien » ou « provincial » peuvent parfois être assez moqueurs, selon la personne qui l'emploie. Un Parisien dira : « C'est un provincial ! Il est lent et perdu dans Paris ! » Un provincial dira : « Il est fou, il est toujours pressé, c'est normal, c'est un Parisien ! »

RELIGION ET LAÏCITÉ

• Les Français sont attachés à **la laïcité** (= la séparation claire des **Églises** et de l'**État**). Cependant, on peut être **croyant(e)** ou, au contraire, **athée**. Outre **des catholiques**, on rencontre en France des **protestants**, des **juifs** et des **musulmans**.

• On peut donc **aller à l'église** (catholique), **au temple** (protestant), **à la synagogue** ou **à la mosquée**.

Remarque. Le mot « église » avec une majuscule signifie « l'institution religieuse » et avec une minuscule, le bâtiment **religieux**.

1 Choisissez la bonne réponse.

1. Nous vivons en | exil | asile | en France.

2. La | diversité | population | est mélangée.

3. Il est moitié français, moitié | provincial | italien | .

4. Ils sont | immigrés | réfugiés | , ils viennent pour travailler.

5. Elle va à la mosquée, car elle est | athée | musulmane | .

6. Ils sont français, d'origine | espagnole | catholique | .

7. Nous avons demandé | la nationalité | l'asile | politique.

2 Vrai ou faux ?

	VRAI	FAUX
1. Il est provincial, il n'est pas originaire de Paris.	☐	☐
2. Elle va au temple, car elle est juive.	☐	☐
3. Un réfugié politique est immigré.	☐	☐
4. Il est naturalisé français, parce qu'il est provincial.	☐	☐
5. Il est temporairement exilé.	☐	☐
6. Un catholique va à l'église.	☐	☐
7. Elle est maghrébine, originaire d'Afrique du Sud.	☐	☐
8. Ce couple bulgare a été nationalisé.	☐	☐

3 Complétez.

1. Ils ne sont pas parisiens, ils viennent de Bourgogne, ils sont _____ .

2. Elle est _____ , elle va au temple.

3. Mes amis ne sont pas _____ , ils sont athées.

4. Ryan a la double _____ française et irlandaise.

5. Elle est africaine, mais sa langue est le français, elle est _____ .

6. Il est né en France de parents maghrébins, il est _____ .

4 Pouvez-vous qualifier ces personnes ?

1. « J'ai quitté mon pays parce qu'il y a une guerre civile. » → Il est _____

2. « Je m'appelle Carmen Lopez, je suis française, mes parents étaient étrangers. » → Elle est _____

3. « Je vais régulièrement à la synagogue. » → Il est _____

4. « J'ai obtenu la nationalité française il y a deux ans. » → Elle est _____

5. « Je suis originaire d'Afrique du Nord. » → Il est _____

5 À vous !

1. Existe-t-il, dans votre pays, la différence entre « capitale » et « province » ?

2. Vous-même, d'où venez-vous ? Et votre famille ?

3. Quelles sont les principales religions dans votre pays ?

LES QUESTIONS DE SOCIÉTÉ

Dans les médias ou les conversations amicales, certains **sujets de société** sont discutés.

• On parle **des changements climatiques**, de l'**écologie**, **des énergies renouvelables**… On cherche des solutions pour remédier à **la pollution**.

• Les Français discutent passionnément de l'**enseignement** et **se plaignent de la baisse du niveau** des élèves. Il y a de nombreuses **réformes** de l'enseignement, plus ou moins efficaces, plus ou moins bien acceptées.

• De nombreuses **associations** (= groupes de personnes) s'occupent de **travail humanitaire**, de culture, d'éducation, de sport, de **défense** des **droits de l'homme**… Les participants sont généralement **bénévoles** (= ils ne sont pas payés) : ils **font du bénévolat**.

• On parle de plus en plus de « **village global** » et de **mondialisation**. Par ailleurs, **la crise économique** provoque des **problèmes sociaux** et **politiques**. On s'inquiète du **chômage** (= absence de travail) et de **l'insécurité** (≠ **la sécurité**).

LES FAITS DIVERS

Les « faits divers » sont **les crimes** et **délits** qui sont racontés dans des articles de presse.

• On m'**a volé** mon portefeuille ! Je n'ai pas pu rattraper **le voleur**. Je dois aller **au commissariat de police** pour **déclarer le vol**.

• La maison de M. et Mme Joubert **a été cambriolée**, le couple a été **victime d'un cambriolage**. **Les cambrioleurs** sont entrés dans la maison : ils ont pris tout le matériel électronique et les bijoux.

• Une triste histoire… **Un meurtre** a été **commis** dans le village. Un homme **a assassiné** sa femme, puis **s'est suicidé**. Tout le village est sous le choc, car **le meurtrier** était un homme apparemment gentil, et que tout le monde connaissait !

• Cette jeune fille **a échappé à un viol** (= **une agression** sexuelle) : championne de course à pied, elle a réussi à **fuir le violeur**. **L'agresseur** a essayé de **violer** plusieurs femmes dans la région. Heureusement, il **a été arrêté** le jour même par **la police / les policiers**.

1 Choisissez la bonne réponse.

1. On discute des changements | renouvelables | climatiques |.

2. Il est important de défendre les | droits | crises | de l'homme.

3. On cherche des solutions pour éviter la | pollution | société |.

4. La crise | climatique | économique | a des conséquences terribles sur la population.

5. Tout le monde parle de village | social | global |.

6. Les parents sont inquiets de la baisse du | chômage | niveau | de l'enseignement.

2 Comment appelle-t-on quelqu'un qui…

1. fait du bénévolat ? → _____

2. a commis un viol ? → _____

3. a commis un meurtre ? → _____

4. fait partie de la police ? → _____

5. a commis un vol ? → _____

6. a commis un cambriolage ? → _____

7. a agressé une victime ? → _____

3 Complétez.

1. On m'a _____ mon téléphone mobile ! Je vais _____ le vol au commissariat

de police.

2. Pauline a décidé de _____ du bénévolat.

3. Heureusement, Antoinette a réussi à _____ à une agression !

4. Le voleur a été _____ par les policiers.

5. C'est terrible, une femme a _____ son mari à coups de couteau !

6. La maison de Solange a été _____, tous les objets de valeur ont disparu !

4 Vrai ou faux ?

	VRAI	FAUX
1. Un bénévole n'est pas payé pour son travail.	☐	☐
2. Un violeur commet un vol.	☐	☐
3. Il faut aller au commissariat de police pour déclarer un vol.	☐	☐
4. La mondialisation est un fait divers.	☐	☐
5. Les policiers ont commis un vol.	☐	☐
6. Les Français pensent que le niveau des élèves n'augmente pas.	☐	☐

5 À vous ! Répondez librement aux questions.

1. Quels sont les sujets de société débattus dans votre pays ?

2. Lisez-vous les faits divers dans la presse ? Pourquoi ?

3. Avez-vous déjà fait du bénévolat ? Pourquoi ?

LA PRESSE

• Pour se tenir informé de **l'actualité**, on peut lire **un article** dans **les journaux** ou **les magazines**. **Un quotidien paraît** tous les jours, **un hebdomadaire** paraît toutes les semaines, et **un mensuel**, tous les mois. Il est possible de payer pour recevoir un journal à la maison : on s'**abonne à** un journal, on **prend un abonnement** à un journal. C'est la même chose pour **la presse en ligne**.

LA VIE POLITIQUE

• La France est **une démocratie/un pays démocratique**. C'est **une république**. **Son emblème**, qui vient de **la Révolution française**, est une jeune femme, **Marianne**. **La devise** du pays est « **liberté**, **égalité**, **fraternité** ». **Son drapeau** est **bleu**, **blanc**, **rouge**. **Son hymne national** est *la Marseillaise*.

• Au niveau local, chaque commune est administrée par **un maire**. À **la mairie**, on **déclare les naissances**, **les mariages** et **les décès**. Les mariages ont lieu obligatoirement à la mairie.

• **Le président de la République est élu** pour 5 ans. Il nomme **un Premier ministre** qui forme **un gouvernement** avec **ses ministres** : un ministre des **Finances**, un ministre des **Affaires étrangères**, un ministre de **la Culture**, un ministre de **la Défense**…

• **Le peuple** est représenté par l'**Assemblée nationale** (= le Parlement), qui compte 577 **député(e)s**, élu(e)s pour 5 ans. Ils discutent des **lois**.

• **Les candidat(e)s aux élections font une campagne électorale.** Ils présentent **leur programme électoral**, ils débattent à la radio et à la télévision, ils visitent le pays, ils organisent **des meetings**.

Remarque. Le mot anglais « meeting » est employé principalement dans le sens de « réunion publique à caractère politique ».

• **Les opinions politiques** sont diverses. On distingue en général « **la droite** » et « **la gauche** ». *Xavier **est de droite**, il **vote à droite**, alors que Christian **est de gauche**, il vote **à gauche**.* On parle aussi de **l'extrême droite** et de **l'extrême gauche**. Si l'on veut **s'engager** dans la vie politique, on peut **être membre d'un parti politique** (= **on a sa carte** du parti).

E X E R C I C E S

1 Choisissez la bonne réponse.

1. Nous nous sommes abonnés à un | article | journal | .

2. Es-tu informé de | l'actualité | la presse | ?

3. Elle lit souvent | la presse | l'abonnement | en ligne.

4. Les députés sont | élus | nommés | pour cinq ans.

5. Mon voisin et moi n'avons pas les mêmes opinions | électorales | politiques | .

6. Je ne connais pas tous les | ministres | députés | de l'Assemblée nationale.

2 Associez pour constituer une phrase complète.

1. Edwige fait	a. opinions politiques.
2. Nous avons rencontré le ministre de	b. à la mairie.
3. Nous ne partageons pas les mêmes	c. une nouvelle loi.
4. Il déclare la naissance de sa fille	d. la Culture.
5. Les députés discutent	e. une campagne électorale.

3 Complétez.

1. La _____ de la France est « liberté – égalité – _____ ».

2. Ariel est _____ à une élection. Il fait une campagne _____ et espère être _____ sans difficulté !

3. Le _____ de la France est bleu, blanc, rouge.

4. Éléonore a décidé de prendre sa _____ du parti.

5. Sabine est _____, elle discute une loi à l'Assemblée nationale.

6. Valérie est de gauche, elle _____ à gauche à chaque élection.

4 Vrai ou faux ?

	VRAI	FAUX
1. L'emblème de la France est la Marseillaise.	☐	☐
2. Le Premier ministre représente le peuple à l'Assemblée nationale.	☐	☐
3. Le mariage de mes amis a lieu à la mairie de la ville.	☐	☐
4. Je reçois tous les jours mon hebdomadaire favori.	☐	☐
5. Le candidat a un programme électoral.	☐	☐
6. Le Premier ministre nomme le président de la République.	☐	☐
7. Je ne comprends pas bien le programme électoral de cette candidate.	☐	☐

5 À vous ! Parlez de votre pays.

1. Quelle en est la structure politique ?

2. Quel en est le drapeau ?

3. Existe-t-il une devise ? Si oui, laquelle ?

4. Quel en est l'hymne national ? Dans quelles circonstances l'entend-on ?

LA COMMUNICATION

AU TÉLÉPHONE

■ En contexte professionnel

- Allô, **pourrais-je parler à** monsieur Baudoin, s'il vous plaît ?
- Oui, **c'est de la part de qui ?** (= **vous êtes madame... ?**)
- **De la part de** Manon Gaubert.
- Un instant, s'il vous plaît. (...) **Il est en ligne, vous patientez ?**
- Non **merci, je le rappellerai plus tard.**

- Allô, bonjour, **est-ce que je pourrais parler à** Sébastien Garcia, s'il vous plaît ?
- Non, je suis désolé(e), **il n'est pas là. Je peux prendre un message ?**
- Oui, s'il vous plaît. **Vous pouvez lui demander de rappeler** Étienne ?
- Il a **vos coordonnées** ?
- Oui, je crois, mais je vous donne mon numéro. **C'est le** 01 72 36 30 65.
- **Je lui transmettrai votre message.** Au revoir, monsieur.

■ En contexte personnel

- **Allô**, bonjour, **je voudrais parler à** Joëlle, s'il vous plaît.
- **Ne quittez pas / Un instant**, s'il vous plaît, **je vous la passe**.

- Allô, bonjour, **je suis bien chez** M. et Mme Meyer ?
- Oui.
- Bonjour, madame. **Je suis** Tiphaine, une amie de Franck... **Est-ce qu'il est là ?**

- Allô, Magali ? **C'est** Romain, **à l'appareil**.
- Non, **vous avez fait erreur, je ne suis pas** Magali !
- Oh, **excusez-moi, madame** !
- Je vous en prie.

SUR LE RÉPONDEUR

- « Bonjour, **vous êtes bien chez** Ninon et Frédéric. Nous sommes **absents** pour le moment, mais vous pouvez nous laisser un message après le bip qui va suivre. Nous vous rappellerons dès que possible. »

- « Bonjour, **vous êtes bien au** 01 72 36 30 65, mais je ne peux pas vous répondre à l'instant. Laissez-moi votre message et vos coordonnées, et je vous rappellerai. Merci et à bientôt. »

Remarques. **1.** Les « coordonnées » sont les informations permettant de joindre quelqu'un : nom, numéro de téléphone ou de mobile, adresse, adresse électronique... **2.** L'adverbe « bien » s'emploie pour vérifier ou confirmer une information. « Vous habitez **bien** à Lausanne ? – Oui, j'habite **bien** à Lausanne. »

1   Associez les phrases de sens équivalent.

1. C'est de la part de qui ?

2. Elle est en ligne.

3. Tu peux me passer Camille, s'il te plaît ?

4. Je vais prendre vos coordonnées.

5. Camille, à l'appareil.

6. Ne quittez pas, je vous la passe.

7. Je peux prendre un message ?

a. C'est Camille.

b. Elle est là, je l'appelle.

c. Vous voulez laisser un message ?

d. Elle est déjà au téléphone.

e. Je vais noter votre numéro.

f. Camille est là ?

g. Vous êtes madame ?

2   Choisissez la ou les réponse(s) possible(s).

1. Je vais prendre vos coordonnées.

    a. D'accord. Mon numéro est le 01 72 36 30 65.

    b. Vous avez fait erreur.

    c. Je suis bien au 01 72 36 30 65 ?

2. Je voudrais parler à Solène, s'il te plaît.

    a. Ne me quitte pas !

    b. Un instant, je te la passe.

    c. Ne quitte pas, elle arrive.

3. Je peux lui laisser un message ?

    a. Bien sûr ! Je prends un stylo.

    b. Oui, je te le passe tout de suite.

    c. Oui, vous êtes monsieur ?

4. Je suis bien chez Pierre Pahin ?

    a. Non, pas du tout, monsieur !

    b. Non, il est absent.

    c. Oui, vous voulez lui parler ?

5. Est-ce que Michel est là, s'il vous plaît ?

    a. Je suis désolé, je vous le passe.

    b. C'est de la part de qui ?

    c. Il a vos coordonnées ?

6. Allô, Dominique ?

    a. Oui, c'est moi !

    b. Oui, je vais noter votre nom.

    c. Non, vous avez fait erreur.

3   Complétez cette annonce sur un répondeur.

« _____, vous êtes _____ chez Hélène et Éric Foster. Nous sommes _____, mais laissez-nous votre _____ et vos _____ et nous vous _____ au plus vite. Merci, à bientôt. »

4   À vous ! Vous cherchez à joindre quelqu'un, dans une entreprise. Que répondez-vous à ces phrases ?

1. C'est de la part de qui ?

2. Il/elle est en ligne, vous patientez ?

3. Vous voulez laisser un message ?

4. Il/elle a vos coordonnées ?

5. Vous avez fait erreur, vous vous êtes trompé(e) de numéro.

6. Désolé(e), il/elle n'est pas là.

> Quand on est invité = quand on reçoit **une invitation** ou **une proposition**, on peut **accepter avec enthousiasme** ①, accepter de manière **neutre** ② ou **refuser** ③.

INVITER

• Tu es **libre**, vendredi soir ? **Tu veux** venir au cinéma avec nous ?

① – Oui, **je veux bien ! Avec plaisir ! Bien volontiers !**

– **Super* ! Ça tombe* bien, je n'ai rien de prévu,** ce soir-là !

② – Peut-être, **je vais voir.** Je peux te **confirmer** un peu plus tard ?

– Vendredi, **ça devrait aller. Je crois que je n'ai rien***, ce soir-là.

③ – Non, je suis désolé(e), **je suis pris(e),** samedi soir !

– **C'est dommage,** je suis invité(e), samedi soir. **Ce sera pour une autre fois !**

– Oh zut* ! **Ça tombe* mal ! Je ne suis pas libre,** samedi soir !

Remarque. Le verbe « **vouloir bien** » signifie « accepter ». « Je veux bien » = j'accepte votre proposition.

PROPOSER

• **Si on allait** au cinéma, ce soir ? (si + *imparfait : structure de la proposition*)

① – Oui, **c'est une bonne idée** !

② – Oui, **pourquoi pas ?** Qu'est-ce que tu voudrais voir ?

③ – Oh non, **une autre fois,** peut-être…

– Oh non, franchement, **je n'ai pas très envie de** sortir, ce soir.

• **Ça te/vous dirait de** faire une promenade en forêt, dimanche ?

① – Ah oui, **avec grand plaisir,** j'adore marcher en forêt !

③ – Non, à vrai dire, **ça ne me dit rien.** Je n'aime pas beaucoup marcher.

• Tu **veux / vous voulez que** je te/vous ramène chez toi/vous ?

① – Ah oui, **c'est vraiment gentil de ta/votre part** ! Merci beaucoup.

– Vraiment ? Tu es / vous êtes sûr(e) ? **Ça ne te/vous dérange pas ?**

③ – **Non merci, c'est très gentil, mais** j'habite juste à côté.

– **Non merci, ce n'est pas la peine,** je prendrai le bus.

EXPRIMER LA DÉCEPTION

• Désolé(e), il n'y a plus de place pour le concert. C'est complet !

– **Tant pis ! Ce sera pour une autre fois / pour la prochaine fois !**

– **C'est dommage, je suis vraiment déçu(e) !**

Remarque. L'expression « Tant pis ! » est bien utile pour répondre poliment à une phrase négative, un refus, etc. « Le coiffeur n'est pas là, aujourd'hui. – Tant pis ! Je reviendrai demain. »

E X E R C I C E S

1 Associez pour constituer une phrase complète.

1. Ça tombe bien,

a. pour une autre fois !

2. Ça te dirait

b. rien.

3. C'est très gentil

c. la peine.

4. Ce sera

d. de manger une crêpe ?

5. Ça ne me dit

e. je suis libre jeudi soir !

6. Ce n'est pas

f. de ta part.

2 Choisissez la ou les bonne(s) réponse(s).

1. Tu veux un thé ?

a. Avec plaisir !

b. Ça ne me dérange pas.

c. Non merci, ça ne me dit rien.

2. Je peux te raccompagner ?

a. Je n'ai rien de prévu.

b. Ce sera pour une autre fois !

c. Oui, c'est gentil.

3. Tu as envie d'aller au restaurant ?

a. Tant pis !

b. Pourquoi pas ?

c. Oui, je veux bien !

4. Vous êtes libre, jeudi soir ?

a. Non, jeudi soir, je ne suis pas libre.

b. Oui, jeudi soir, ça devrait aller.

c. Non, jeudi soir, je suis pris.

5. Si on faisait une randonnée ?

a. Quel dommage !

b. Franchement, ça ne me dit rien…

c. Oui, bonne idée !

6. Je peux vous aider ?

a. Non merci, ce n'est pas la peine.

b. C'est très gentil de votre part !

c. Je suis vraiment déçu !

3 Vrai ou faux ? Vous dites :

	VRAI	FAUX
1. « Je veux bien » quand vous voulez quelque chose.	☐	☐
2. « Ce n'est pas la peine » quand vous refusez de l'aide.	☐	☐
3. « Désolé, je suis pris » quand vous refusez une invitation.	☐	☐
4. « Ça te dirait de sortir ? » quand vous faites une proposition.	☐	☐
5. « Tant pis ! » quand vous acceptez une invitation.	☐	☐
6. « Quel dommage ! » quand vous êtes déçu(e).	☐	☐

4 À vous ! Que pouvez-vous répondre ?

1. Vous êtes libre, samedi soir, pour un dîner ?

2. Vous voulez que je vous ramène chez vous ?

3. Ça vous dirait d'aller au cinéma ?

4. Si on allait à la campagne, ce week-end ?

5. J'ai essayé de prendre des places pour le match, mais c'est complet !

6. Vous avez quelque chose de prévu, dimanche après-midi ?

COMMUNIQUER

• Jérôme **communique** des informations à Yasmina. Jérôme **informe** Yasmina **des** décisions de l'entreprise. Jérôme et Yasmina communiquent **facilement**, la communication est **facile entre** eux. En revanche, avec Bertrand, il y a **de gros problèmes de communication** = ils **communiquent mal**.

• Le monde moderne emploie toutes sortes de **moyens de communication**. Les politiciens ont des **conseillers en communication**, pour savoir comment **parler aux médias**.

• Je voudrais **des renseignements sur** les cours de musique. Où est-ce que je peux **me renseigner** ?
– Vous pouvez aller au guichet n° 7. Quelqu'un vous **renseignera**.

Remarque. Ne confondez pas « **renseigner** » (= donner des informations) et « **se renseigner** » (= demander, chercher des informations).

• La situation provoque des **interrogations** (= questions). Nous **avons** donc **interrogé** des collègues pour obtenir **des précisions** (= **des informations précises**).
— Vous **êtes au courant de** la situation ?
— Oui, on **m'a mis(e) au courant** : **je sais que** l'entreprise a obtenu un nouveau marché.
— Moi, on ne m'a pas **informé**. **Je ne suis au courant de rien** !
— Dans ce cas, je vous **tiendrai au courant** des prochaines négociations. Je vous **transmettrai** les informations.

• Damien **avait promis à** son fils **de** l'emmener au cinéma. Samedi après-midi, Damien **a tenu sa promesse** : ils sont allés ensemble voir un bon film.

• Quand ils jouent, les enfants **parlent** extrêmement **fort**, ils **crient** même. Les **cris** sont joyeux, mais **cela fait du bruit** !

LES CONSEILS

On peut **demander, donner** ou **recevoir des conseils**. On **conseille** = **recommande à** quelqu'un **de faire** quelque chose. On peut, au contraire, **déconseiller** quelque chose, ne pas le recommander.
– **J'ai un conseil à te demander.** Quel livre est-ce que tu me recommandes de lire ?
– **Tu devrais** lire *La Vie devant soi*, de Romain Gary, c'est un très beau livre. **Tu ferais bien** de l'acheter à la librairie. **Cela vaut la peine** de l'avoir.

1 **Choisissez les termes possibles. Attention à la construction des verbes.**

1. Nous vous | tenons | faisons | mettons | conseillons | au courant de la situation.

2. Il | donne | fait | reçoit | tient | parle | des conseils.

3. Elle essaye d'obtenir des | problèmes | renseignements | informations | précisions |.

4. Un collègue m'a | communiqué | renseigné | conseillé | de partir.

5. Ils | parlent | crient | communiquent | déconseillent | pendant la réunion.

2 **Associez les phrases de sens équivalent.**

1. Je suis au courant.

2. Je me renseigne.

3. J'ai interrogé une collègue.

4. J'ai donné des conseils.

5. J'ai renseigné quelqu'un.

6. J'ai reçu des conseils.

a. J'ai donné des informations.

b. J'ai recommandé quelque chose.

c. Je suis informé.

d. On m'a conseillé quelque chose.

e. J'ai posé des questions.

f. Je cherche des informations.

3 **Trouvez le nom correspondant à ces verbes.**

1. conseiller : *le* _____

2. informer : _____

3. interroger : _____

4. communiquer : _____

5. renseigner : _____

6. préciser : _____

7. promettre : _____

8. crier : _____

4 **Complétez. Plusieurs solutions sont parfois possibles.**

1. Vous vous êtes renseigné ? – Oui, j'ai enfin obtenu des _____.

2. Est-ce que tes amis _____ au courant de la situation ?

3. Mon chéri, arrête de _____, je ne suis pas sourd !

4. Quel film est-ce que vous me _____ ?

5. C'est désagréable, elle parle _____ dans le métro, cela gêne tout le monde.

6. J'espère que mes collègues me _____ au courant de la situation.

7. Cela vaut la _____ de visiter cette exposition, elle est magnifique !

5 **À vous !**

1. En général, est-ce que vous parlez fort ?

2. Pour connaître les activités culturelles dans votre région, où et comment est-ce que vous vous renseignez ?

3. Est-ce que vous êtes au courant de la situation internationale ?

4. En général, est-ce que vous communiquez facilement avec votre entourage ?

5. Est-ce que vous aimez donner des conseils ? Dans quel domaine ?

6. Quels conseils donneriez-vous à un touriste venant visiter votre région / ville ?

24 DÉBATS ET OPINIONS

LA CONVERSATION ET LE DÉBAT

• J'aime bien **bavarder avec** mes voisins : nous **parlons** « **de tout et de rien** » (= la conversation est superficielle mais agréable).

• Pendant le dîner, nous **avons eu une longue conversation sur** le cinéma = nous **avons parlé de** cinéma. Nous avons passé la soirée à **discuter de** cinéma **avec** nos amis. **La discussion a été vive et intéressante** ! Bien sûr, ce n'était pas **le** seul **sujet** de conversation. Agathe, elle, **ne disait rien**, elle **se taisait**, elle **restait silencieuse** = **elle n'ouvrait pas la bouche*** !

• Gabriel **a eu un entretien avec** le directeur des ressources humaines. C'était un entretien **d'embauche** : Gabriel cherche du travail et espère être recruté par l'entreprise.

• La vedette de cinéma a donné **une interview** à un grand journal. Elle **a été interviewée** par un journaliste.

Remarque. Le terme « interview » s'emploie toujours dans le contexte médiatique. « As-tu vu l'interview du maire de notre village à la télévision ? »

• Les Français aiment beaucoup **débattre**, confronter des opinions différentes. On organise de nombreux **débats** à la télévision ou à la radio, sur des sujets **controversés**, sur la politique par exemple.

• Un proverbe dit : « **le silence** est d'or, **la parole** est d'argent ». Ce dicton ne correspond pas vraiment à la réputation des Français, qui, en général, aiment parler !

LES RÉACTIONS

Tu sais, Blaise va partir au Brésil pendant trois ans !
– Ça alors ! Ce n'est pas possible ! (*expression de la surprise*)
– Tu plaisantes ! Ce n'est pas vrai ! C'est incroyable ! (*incrédulité*)
– Pardon ? Comment ? Qu'est-ce que tu dis / vous dites ? Excusez-moi, je n'ai pas bien entendu. Vous pouvez répéter, s'il vous plaît ? (*on n'a pas compris et/ou entendu*)
– Ah bon ? (*selon l'intonation = indifférence ou surprise*)

E X E R C I C E S

1 Choisissez la bonne réponse.

1. Amandine a eu | une interview | un entretien | avec le directeur des ressources humaines.

2. En général, j'aime bien écouter les | débats | conversations | politiques à la radio.

3. Zohra va quitter son mari. – Ça alors ! Ce n'est pas | incroyable | possible | !

4. Oscar n'a rien | dit | parlé |, il s'est tu, il n'a pas | fermé | ouvert | la bouche !

5. Est-ce que vous pouvez | répéter | discuter | le nom, s'il vous plaît ?

6. Benoît et Louise vont se marier ! – Ça | bon | alors | ! Quelle surprise !

7. Comme dit le proverbe, | le silence | la parole | est d'or !

2 Répondez aux questions.

1. Vous avez parlé de politique ? – Oui, nous avons eu une bonne _____ sur la politique.

2. Est-ce que l'acteur est passé à la télévision ? – Oui, il a donné _____.

3. Vous avez parlé, pendant la réunion ? – Non, au contraire, je _____.

4. Vous regardez les débats à la télévision ? – Oui, j'aime bien quand les gens _____ de différents sujets.

5. Votre fille a trouvé un travail ? – Peut-être ! Elle a eu un _____ d'embauche ce matin.

3 Que font-ils ? Pouvez-vous imaginer ce qu'ils disent ?

1.

2.

3.

4 À vous ! Parlez de votre culture.

1. Quelle place tient la conversation dans un dîner amical ?

2. Les débats sont-ils courants dans les médias ? Comment se passent-ils ?

3. Existe-t-il des proverbes sur le silence et la parole ? Si oui, que disent-ils ?

4. Est-il courant, entre amis, de confronter des opinions différentes ?

UNE RÉUNION

Laurent **organise une réunion** dans son entreprise avec des collègues. Tous doivent **participer à** la réunion. Laurent **envoie l'ordre du jour** (= *les sujets*) par mail. **Les participants** vont **discuter de** ces sujets.

C'est Samia qui parle : elle **a la parole**. Mais Léa lève la main : elle voudrait **intervenir** = elle voudrait **prendre la parole**. Elle **demande la parole**.

Laurent, qui **anime** la réunion, **donne la parole à** Léa.

Brice prend la parole pendant que Léa parle = Brice **interrompt** Léa = il **coupe la parole à** Léa.

Remarque culturelle. Couper la parole à quelqu'un n'est pas poli. On s'excuse, en général : « Excusez-moi, je vous ai interrompu, je vous ai coupé la parole. » Pourtant, dans les débats télévisés, il est très fréquent que **tout le monde parle en même temps** !

DONNER SON OPINION

Pendant une réunion, on **demande l'opinion** des autres, **on donne** = exprime **sa propre opinion**. Chaque participant **donne son avis** / **expose son point de vue**.

LAURENT : Dis-moi, Léa, je voudrais **connaître / avoir ton point de vue sur** cette question.

LÉA : Notre problème, c'est que nous ne faisons pas assez de bénéfices, **c'est bien cela / n'est-ce pas ?**

LAURENT : Oui, **c'est bien ça. À ton avis**, que pouvons-nous faire ?

LÉA : Je **crois que** nos prix de vente sont trop bas. Je **pense que** nous devons les augmenter. C'est la seule solution, non ?

SAMIA : **Tu as raison**, je **suis d'accord avec toi** = **je suis de ton avis**.

BRICE : Ah non ! **Je ne partage pas votre opinion, je ne suis pas du tout d'accord avec** vous. On ne peut pas augmenter les prix, ce serait de la folie ! Je suis certain(e) que si nous augmentons nos prix, nous perdrons des clients.

LAURENT : **D'après toi**, que faut-il faire ?

BRICE : **Vous ne croyez pas qu'il** faudrait plutôt diminuer nos dépenses ?

EXERCICES

1 Choisissez les termes possibles.

1. Je donne | la parole | mon opinion | une conversation | une réunion | .

2. Il voudrait | interrompre | connaître | avoir | conseiller | ton point de vue sur la situation.

3. Vous | partagez | croyez | exprimez | pensez | que c'est possible ?

4. Nous sommes | la parole | de votre avis | votre opinion | d'accord | .

5. Elle | exprime | prend | organise | anime | une réunion.

2 Associez pour constituer une phrase complète.

1. J'aimerais connaître   **a.** l'ordre du jour.

2. Il m'a encore coupé   **b.** avec lui.

3. Je ne suis pas d'accord   **c.** raison !

4. Nous devons organiser   **d.** la parole.

5. Tu as   **e.** une réunion avec nos collègues.

6. Il faut envoyer   **f.** ton point de vue.

3 Vrai ou faux ?

	VRAI	FAUX
1. Adèle intervient dans la réunion = elle donne la parole à quelqu'un.	☐	☐
2. Je partage votre opinion = je suis du même avis que vous.	☐	☐
3. Christophe me coupe la parole = Christophe est d'accord avec moi.	☐	☐
4. Vous avez raison = vous exposez votre point de vue.	☐	☐
5. Judith coupe la parole à Chloé = Judith interrompt Chloé.	☐	☐
6. Je ne connais pas l'ordre du jour = je ne connais pas ton point de vue.	☐	☐
7. Zoé anime la réunion = Zoé donne la parole aux participants.	☐	☐

4 Complétez.

1. Si Véronique parle, elle _____ la parole.

2. Si nous interrompons Véronique, nous lui _____ la parole.

3. Madeleine n'est pas _____ avec Véronique : elles n'_____ pas le même point de vue sur la question.

4. Dans ce débat, c'est désagréable, tout le monde _____ en même temps !

5. Frédéric anime la réunion, c'est lui qui _____ la parole aux participants.

6. _____ vous, quelle est la meilleure solution ?

7. Tu sais qui _____ à la réunion ? – Non, je ne connais pas les _____ .

5 **Vous avez l'intention de célébrer l'anniversaire d'un(e) ami(e). Vous discutez avec quelques personnes des différentes possibilités et chacun donne son point de vue et ses idées. Faites le dialogue.**

COMPLIMENTS ET CRITIQUES

• Éric **me fait des compliments sur** mon travail. **J'ai eu / reçu** beaucoup de compliments **sur** mon travail : « Bravo ! C'est vraiment bien ! Tu as fait du très bon travail ! Je te **félicite** ! »

• Au contraire, Agnès me **fait** toujours **des critiques** : elle **critique** mon travail, elle n'est jamais contente : « Franchement, je ne comprends pas pourquoi tu as présenté ce document ainsi. **Ça ne va pas. Ce n'est pas clair, on n'y comprend rien** ! »

• Éric **dit du bien** (≠ **du mal**) **de** sa collègue.

• Denise **me fait** toujours **des reproches** : « **Tu n'aurais pas dû** écrire ce courrier ! **Tu aurais dû** me demander mon avis avant ! » Elle **reproche** à ses collègues **de** ne pas bien travailler. C'est pénible !

Remarques. 1. Une « critique » est plutôt intellectuelle et rationnelle ; un « reproche » est plutôt moral et subjectif. **2.** D'habitude, les Français ne font pas beaucoup de compliments. Quand ils en font, c'est généralement sincère.

PROTESTER

• Quand il y a une erreur, on **se plaint** : « **Il y a une erreur sur** ma facture de téléphone ; elle indique 268 €, mais **ce n'est pas ça**, le montant **n'est pas correct**. C'est 68 €, en réalité. **Vous vous êtes trompé(e) de** montant. »

• Les entreprises ont généralement un service spécialisé dans les **réclamations** (= **les contestations, les plaintes**). Le client **mécontent** peut aussi contacter le service après-vente.

• Si on **est accusé**, on peut **se défendre** : « **Je n'ai jamais dit que** ce projet était idiot ! **Ce n'est pas vrai ! Ce sont des mensonges !** » Cet homme **conteste les accusations**.

LE CONFLIT

• Si les opinions sont trop différentes ou s'il y a trop d'émotion, on **se dispute**. **La dispute** est plus ou moins violente. Parfois, elle aboutit à **une rupture** .

Remarque. Le mot « **conflit** » s'emploie aussi bien au niveau personnel (« Bruno et Denis sont en conflit ») que politique (« les deux pays sont en conflit du point de vue économique ») ou militaire (« un conflit armé »).

• Malheureusement, on est parfois victime d'**une injustice** : on **proteste contre** une injustice. Si **la protestation** est publique, c'est **une manifestation : les manifestants** vont dans la rue pour **manifester**.

E X E R C I C E S

1 Trouvez le nom correspondant aux verbes suivants.

1. Manifester : _____

2. Se plaindre : _____

3. Critiquer : _____

4. Protester : _____

5. Se disputer : _____

6. Reprocher : _____

2 Choisissez les termes possibles.

1. On lui fait des | compliments | accusations | reproches | critiques |.

2. Cette entreprise a reçu beaucoup de | plaintes | réclamations | ruptures | manifestations |.

3. Il y a une erreur sur l'addition, ce n'est pas | ça | correct | mécontent | mal |.

4. Je dis | des disputes | du bien | du mal | une plainte | de ma voisine.

5. Il n'est pas agréable de recevoir des | plaintes | disputes | critiques | reproches |.

3 Choisissez la bonne explication.

1. « Non, l'addition est fausse, cela ne fait pas 47 € ! »

    a. Il se plaint.
    b. Il est accusé.

2. « Non à la réforme ! »

    a. Ils manifestent.
    b. Ils se disputent.

3. « Non, ce n'est pas vrai, je n'ai jamais dit ça ! »

    a. Elle fait un reproche.
    b. Elle se défend.

4. « Vous n'auriez pas dû lui téléphoner ! »

    a. Il fait une critique.
    b. Il fait un reproche.

5. « C'est vous qui avez volé mon portefeuille ! »

    a. Il accuse.
    b. Il proteste.

6. « Votre travail est excellent ! »

    a. Elle fait un compliment.
    b. Elle se plaint.

7. « Cet appareil ne marche pas ! »

    a. Il manifeste.
    b. Il est mécontent.

4 À vous ! Parlez de votre culture.

1. Les manifestations sont-elles fréquentes ? Dans quel contexte ont-elles lieu ?

2. Dans quelles situations est-il courant de faire des compliments ?

3. Dans le contexte professionnel, comment fait-on des critiques ? Sont-elles directes ou plutôt diplomatiques ?

4. Vous-même, comment faites-vous des reproches ou des critiques ?

5. Faites-vous volontiers des compliments ? Dans quelles circonstances ?

25 L'ART ET LA CULTURE

LA CULTURE

• Les Français sont attachés à la notion de **culture générale** : on doit avoir **des connaissances en** littérature, peinture, histoire, musique, géographie...

• Le gouvernement français a **un ministre de la Culture** qui donne **des subventions** (= de l'argent) à des **organismes culturels**. Cela permet d'organiser **des manifestations culturelles, des spectacles**...

• Pauline **sort souvent** au théâtre, au cinéma, au musée. Elle aime beaucoup **les sorties**. Elle **s'intéresse à** la culture en général : elle est **cultivée**. Malheureusement, d'autres gens sont **incultes** et **ne s'intéressent à rien** !

L'HISTOIRE ET LES MONUMENTS HISTORIQUES

■ L'histoire

• Daniel **est passionné d'**histoire. Il a lu **des livres d'histoire, des romans historiques**, il s'intéresse à toutes **les périodes** de l'histoire : **l'Antiquité, le Moyen Âge, la Renaissance**, l'époque **moderne** et **contemporaine**.

• Ce château **date de quelle période** ?
– Il est **médiéval**, il date **du Moyen Âge**.
– Et l'église ?
– L'église n'est pas **de la même époque**, elle date de la Renaissance. Elle était **en mauvais état**, mais elle a été **restaurée** il y a quelques années. **La restauration** a duré deux ans.

■ Les monuments historiques

• Les Français passent du temps à visiter **les monuments historiques**, leur **patrimoine** historique. Cela fait partie de la culture générale. Ils visitent **un château, une église, une abbaye** et les nombreux **villages anciens et pittoresques**.

• Chaque année, en septembre, un week-end est réservé aux **Journées du patrimoine** : on peut visiter gratuitement des centaines de bâtiments habituellement **fermés** (≠ **ouverts**) **au public**.

LA PEINTURE

• Gabriel va voir **des tableaux** dans **les musées de peinture** ou dans **des galeries d'art** : il admire **un portrait, un paysage, une scène religieuse**...

• Colombe aime beaucoup **les expositions de peinture** : les **œuvres d'un peintre** sont **exposées** temporairement. En général, elle achète le **catalogue de l'expo***.

EXERCICES

1 **Choisissez la bonne réponse.**

1. Nous allons souvent à des | expositions | sorties | de peinture.

2. Le château date de la même | restauration | époque | que le reste du village.

3. Avez-vous visité tous les monuments | culturels | historiques | de la région ?

4. Michel est | cultivé | inculte |, il a une excellente culture générale.

5. La ville organise des | manifestations | périodes | culturelles.

6. J'admire les | catalogues | tableaux | de ce peintre.

2 **Vrai ou faux ?**

	VRAI	FAUX
1. Un château médiéval date du Moyen Âge.	☐	☐
2. Pendant les Journées du patrimoine, on peut visiter des monuments historiques.	☐	☐
3. Il existe un ministre des spectacles.	☐	☐
4. On peut admirer les œuvres d'un peintre dans un musée.	☐	☐
5. Nous avons assisté à une subvention culturelle.	☐	☐
6. Le château a été exposé récemment.	☐	☐

3 **Complétez.**

1. Je suis allé à une _____ temporaire dans une galerie d'art.

2. Kevin a une bonne _____ générale.

3. Mes amis aiment beaucoup les Journées du _____ en septembre.

4. Ce village ancien doit être _____, car les maisons sont en mauvais état.

5. C'est dommage, ce château est privé, il est _____ au public.

6. De magnifiques tableaux italiens sont _____ au musée du Louvre à Paris.

7. Est-ce que tu _____ à l'histoire de l'art ?

4 **Décrivez ce que vous voyez.**

5 **À vous ! Parlez de vous et de votre pays.**

1. Est-ce que vous vous intéressez à l'histoire ? Pourquoi ?

2. Existe-t-il une notion proche de la « culture générale » ?

3. Est-il courant de visiter des monuments historiques ? Lesquels ?

LE LIVRE ET L'ÉDITION

• Alain est **passionné de littérature**, c'est **un** grand **lecteur**, il **lit beaucoup**, aussi bien **de longs romans** que **des nouvelles** (= roman court). Il achète des livres dans **une librairie** ou il en **emprunte** dans **une bibliothèque**.

• Joëlle a lu toutes **les œuvres d'**Albert Cohen. Elle me conseille un livre **de cet écrivain**.

• Qu'est-ce que tu lis, en ce moment ?
– Je lis **un ouvrage de philosophie**.
– **Où est-ce que tu en es ?**
– **J'en suis à la page 47.** J'en suis **au milieu d'un chapitre**.
– Moi, je préfère **la poésie**. J'aime **apprendre des poèmes par cœur**. Si tu veux, je peux te **réciter** un poème **de** René Char.

• **Les bouquinistes** vendent des livres **d'occasion** (≠ **neufs**) ou des livres **anciens**, de grande valeur.

• La France a de nombreux **prix littéraires**, qui **récompensent** une œuvre particulière ou un écrivain. **Le prix Goncourt** est le plus prestigieux. Tel **auteur reçoit** / **a** un prix littéraire.

Remarque culturelle. Les bouquinistes des bords de la Seine sont l'un des charmes de Paris. Ils sont protégés par l'Unesco. Par ailleurs, de nombreux bouquinistes et libraires sont installés en Bretagne, dans le village de Bécherel, qui constitue la 1ʳᵉ cité du Livre® en France et la 3ᵉ en Europe.

LE CINÉMA

• « Le cinéma » est le nom de l'art et celui de **la salle** où l'on **passe** des films : *Anne est passionnée de cinéma et va souvent au cinéma.*

• On peut voir un film **en version originale** (en « **v.o.** ») ou **en version française** (en « **v.f.** »). **Les ciné-clubs** et **les cinémathèques** passent des films de qualité.

• Au cinéma, on peut voir **un grand film** (= un film de grande qualité), **un grand classique** (= un film ancien et très connu), **un petit film** (= un film à petit budget), un film **muet** (≠ **parlant**), un film **en noir et blanc** (≠ **en couleur**), ou encore un film en **3D**.

• En ce moment, **un cinéaste** est en train de **tourner** un film dans mon quartier : il **dirige les acteurs** et **les actrices, les techniciens** et **leurs caméras**, sur le lieu du **tournage**. Ce cinéaste **célèbre** / **très connu** (≠ **inconnu**) **a réalisé** / **fait** de nombreux films.

EXERCICES

1 Vrai ou faux ?

	VRAI	FAUX
1. Un film peut être en noir et blanc.	☐	☐
2. Les acteurs dirigent le cinéaste.	☐	☐
3. Il est amusant de regarder le tournage d'un film.	☐	☐
4. Les bouquinistes vendent des livres neufs.	☐	☐
5. J'ai emprunté un livre dans une librairie.	☐	☐
6. Il est agréable de réciter un film.	☐	☐
7. Connais-tu beaucoup de poèmes par cœur ?	☐	☐
8. Nous aimons beaucoup voir des films d'occasion.	☐	☐

2 Répondez par le contraire.

1. C'est un film parlant ? – Non, _____

2. Le livre est d'occasion ? – Non, _____

3. Le film est en version française ? – Non, _____

4. C'est un long roman ? – Non, _____

5. Le film est en couleur ? – Non, _____

6. Cet écrivain est célèbre ? – Non,_____

3 Complétez. Plusieurs solutions sont parfois possibles.

1. Hier soir, nous avons vu un grand classique du cinéma à la _____ de notre ville.

2. Beaucoup de _____ de films ont lieu à Paris.

3. P. Modiano a _____ le prix Goncourt en 1978 pour *Rue des Boutiques obscures*.

4. François Truffaut est un _____ français, qui a tourné de nombreux films.

5. Les _____ vendent des livres d'occasions.

6. Avez-vous lu toutes les _____ de Marguerite Yourcenar ?

7. Le petit garçon va _____ un poème qu'il a appris par _____.

8. J'ai lu des _____ de Maupassant, qui ne font que quelques pages.

4 À vous !

1. Aimez-vous voir des films en version originale ? Pourquoi ?

2. Dans votre ville/région, existe-t-il des ciné-clubs ou des cinémathèques ?

3. Quels sont les cinéastes les plus connus de votre pays ?

4. Avez-vous déjà vu un tournage ? Si oui, pouvez-vous raconter ce que vous avez vu ?

5. Allez-vous en bibliothèque ? Pourquoi ?

6. Achetez-vous parfois des livres d'occasion ? Pourquoi ?

7. Existe-t-il des prix littéraires dans votre pays ? Lesquels ? Que récompensent-ils ?

8. Qui sont les écrivains les plus célèbres de votre pays ?

LA MUSIQUE

• Dans la famille Masson, tout le monde est **musicien** ! Le père est **compositeur**, il **compose** de la musique de films. La mère est **musicienne** aussi, elle **joue du violon**, elle est **violoniste**. Le fils **chante** dans **une chorale d'amateurs**, mais il n'est pas **chanteur** professionnel. La fille est **pianiste**, elle est aussi **professeur de piano** au **conservatoire de musique**. L'oncle est **chef d'orchestre** et il **dirige un orchestre symphonique**.

• Toute la famille Masson **donne des concerts / se produit en** concert. **Le public va / assiste aux** concerts de cette famille exceptionnelle !

• Mon fils joue de **la guitare**, mais il n'aime pas **la musique classique** : il joue **dans un groupe de rap**. Ma fille joue du **saxophone** et elle fait du **rock** et du **jazz** avec des amis.

LE THÉÂTRE ET L'OPÉRA

• **Le public** va au théâtre pour voir **une pièce** de théâtre, et à l'**opéra** pour voir un opéra. **Le metteur en scène** fait **la mise en scène** : il **dirige** les **acteurs (-trices) / comédiens (-iennes)** ou les **chanteurs (-euses)**, et choisit **les décors**.

Remarque. Les mêmes mots (« théâtre », « opéra ») désignent l'activité et le bâtiment.

SE PRODUIRE EN PUBLIC

• Avant de se produire **en public**, **les acteurs, les musiciens, les danseurs (-euses)** répètent le spectacle : ils participent à **une répétition**.

• Avant d'**entrer en scène**, de nombreux acteurs **ont le trac** (= la nervosité typique des acteurs).

• À la fin du spectacle, **les interprètes**, les comédiens, les danseurs **saluent le public**. S'ils ont bien joué, le public **applaudit**. S'ils ont mal joué, **les spectateurs (-trices) sifflent** !

QUELQUES COMMENTAIRES

• Ce spectacle est **très bon / magnifique / superbe / splendide / admirable** ≠ **(très) ennuyeux / mauvais / absolument nul / vulgaire**…

• C'est **un grand succès** ! Ce spectacle, cet acteur, ont eu **beaucoup de succès** < **un succès fou**. ≠ Ce spectacle, cet acteur, n'ont eu **aucun succès**. < C'est **un échec total** !

• Ce comédien a **beaucoup de talent. Quel talent !**

E X E R C I C E S

1 Vrai ou faux ?

	VRAI	FAUX
1. On va au théâtre pour voir un film.	☐	☐
2. Le public est content, il siffle.	☐	☐
3. On peut être metteur en scène de théâtre ou d'opéra.	☐	☐
4. Le spectacle est très ennuyeux, par conséquent il a eu beaucoup de succès.	☐	☐
5. La répétition a lieu avant le spectacle.	☐	☐
6. Il adore la musique classique, donc il joue du rock.	☐	☐
7. Les acteurs ont souvent le trac avant d'entrer en scène.	☐	☐
8. Adrien chante dans un orchestre symphonique.	☐	☐

2 Associez pour constituer une phrase complète.

1. Nous assistons
2. Le public est furieux et
3. Le metteur en scène dirige
4. Mon mari joue de
5. Cette pièce de théâtre a eu
6. Avant le spectacle, les acteurs ont

a. les comédiens.
b. beaucoup de succès.
c. le trac.
d. siffle le spectacle.
e. à un concert symphonique.
f. la flûte.

3 Complétez.

1. J'ai vu une _____ de théâtre très intéressante.
2. La _____ en scène était assez moderne.
3. Le _____ d'orchestre a beaucoup de talent.
4. Ils font partie d'un _____ de jazz.
5. Agnès prend des cours de guitare au _____ de musique de sa ville.
6. Le _____ en scène dirige les comédiens.
7. Le _____ applaudit les danseurs.

4 Qui parle ? Plusieurs solutions sont parfois possibles.

1. « Mon roman a obtenu le prix Goncourt. » → un _____
2. « J'ai une répétition à 18 heures. » → un(e) _____
3. « Ce spectacle était magnifique ! » → un(e) _____
4. « Je vais donner des subventions à ce théâtre. » → un(e) _____

5 À vous !

1. Est-ce que vous jouez d'un instrument ? Si oui, que jouez-vous ? Dans quel contexte ?
2. Allez-vous souvent au théâtre ? Pourquoi ?
3. Dans votre pays, siffler et applaudir ont-ils les mêmes significations qu'en France ?
4. Avez-vous déjà fait du théâtre (au lycée ou plus tard) ? Dans quel contexte ?

ACTIVITÉS COMMUNICATIVES

🎧 *Article.* **SAM ET FANNY : LA RUPTURE !**

Le célèbre couple a finalement annoncé la nouvelle : Fanny a demandé le divorce, tout est terminé avec Sam. C'est la fin d'une relation passionnelle, qui, hélas, n'a pas duré… Rappelez-vous le coup de foudre pendant le tournage d'un film à Paris, la liaison d'abord cachée, puis révélée au grand jour !

Après un mariage qui a fait la une des quotidiens et des magazines, les deux jeunes mariés avaient passé une lune de miel discrète dans un pays exotique. Deux ans après, la splendide Fanny se montrait aux photographes, enceinte des jumelles Tiphaine et Chloé, qui allaient naître quelques semaines plus tard. Toute la famille se réjouissait de ce bonheur sans nuages.

Puis le couple a traversé une première crise. Fanny semblait déprimée et perdait l'appétit… La famille proche a parlé de dépression nerveuse. On a alors remarqué le beau Sam en compagnie de la jeune et séduisante Noémie. « Fanny m'a fait des scènes de ménage terribles », nous a confié l'acteur. « Cela devenait insupportable. Pour le bien de nos filles, nous avons décidé de nous séparer. Nous avons choisi la garde partagée ». Mais qui s'occupera des enfants, quand leurs parents seront en répétition ou en tournage ? Peut-être Madeleine, la grand-mère paternelle ?

Quant à Fanny, à nouveau célibataire, elle va beaucoup mieux. « Elle est en pleine forme, bien dans sa peau. Elle a de nouveaux projets de films », a déclaré Marion, la demi-sœur de Fanny.

Est-ce un hasard ? Fanny a été vue en grande conversation animée avec Justin Larrieu, le fameux cycliste…

1   **Vrai ou faux ?**

	VRAI	FAUX
1. Fanny et Sam sont acteurs de cinéma.	☐	☐
2. Ils se sont mariés dans un pays exotique.	☐	☐
3. Ils ont eu deux garçons.	☐	☐
4. Sam a perdu sa mère.	☐	☐
5. Fanny s'est remariée.	☐	☐
6. Marion et Fanny sont jumelles.	☐	☐
7. Fanny est apparemment guérie de sa dépression.	☐	☐
8. Justin Larrieu est un sportif célèbre.	☐	☐

2   **Complétez par un verbe approprié au passé composé.**

1. Ils _____ leur lune de miel à l'étranger.

2. Le couple _____ une grave crise.

3. Malheureusement, Fanny _____ l'appétit.

4. Fanny _____ des scènes de ménage à Sam.

5. La jeune femme _____ le divorce.

3   **Choisissez les deux termes possibles.**

1. Leur | relation | liaison | bonheur | a été passionnelle.

2. Les acteurs sont en | conversation | répétition | tournage | pendant tout l'été.

3. La jeune femme est | déprimée | mieux | enceinte |.

4. Il est | divorcé | célibataire | dans sa peau |.

5. Ils se sont | mariés | divorcés | séparés |.

2 *Cartes postales.* **À CHACUN SES VACANCES !**

1. Ma chère Dominique,
Me voici au Népal, pour un trekking de quinze jours. Heureusement que je m'étais entraînée avant mon départ ! J'étais crevée les premiers jours, car nous marchons 6 heures par jour à 3 000 mètres d'altitude. Maintenant, au contraire, je suis en pleine forme. Les paysages sont impressionnants, la vue depuis chaque col est magnifique. Nous dormons sous la tente, après de longues journées de marche. Il fait un froid de canard la nuit ! Le groupe est très sympa. Tous sont des passionnés de randonnée et de photos. J'ai déjà sympathisé avec un célibataire plein de charme… Il n'est pas mal du tout ! Je te raconterai…
Gros bisous.
Vanessa

2. Coucou, ma chérie !
Pendant que tu es à l'école, ton papi et ta mamie passent huit jours de vacances en Corse pour se reposer ! Il fait un temps splendide, c'est presque la canicule ! Nous allons nous baigner tous les matins, l'eau est très bonne… Ta mamie a pris quelques coups de soleil, mais ils ne sont pas graves. Ton papi fait de la planche à voile tous les jours et maintenant, il a une mine superbe ! Il aimerait bien construire des châteaux de sable, mais ce n'est pas drôle sans toi. La prochaine fois, nous t'emmenons avec nous, d'accord ?
Bons gros baisers.
Papi et mamie

1 Associez une phrase et une carte postale.

1. Elle a été très fatiguée.   **5.** Ils sont à la montagne.

2. Elle est restée trop longtemps au soleil. **6.** Les vacances durent deux semaines.

3. Il est assez beau.   **7.** Ils font du camping.

4. Ils sont au bord de la mer.   **8.** Il fait très chaud !

a. *Carte postale n° 1* _____ **b.** *Carte postale n° 2* _____

2 Complétez par le contraire. Plusieurs solutions sont parfois possibles.

1. On peut être en pleine forme ou, au contraire, _____

2. Si l'eau n'est pas bonne, elle est _____

3. S'il ne fait pas un temps splendide, il fait un temps _____

4. Il ne fait pas un froid de canard, au contraire, il fait _____

5. Cet homme ne m'est vraiment pas sympathique, il m'est _____

6. Si on n'est pas célibataire, on est _____

3 Choisissez la bonne réponse.

1. Ils dorment | sur | sous | avec | la tente.

2. Sur l'eau, on peut faire | un trekking | un château de sable | de la planche à voile |.

3. Il a pris | une randonnée | une mine superbe | un coup de soleil |.

4. Il fait | des vacances | une journée | un temps splendide | !

5. Je peux me baigner, l'eau est | impressionnante | bonne | sympa |.

6. Ils | font | ont | passent | des vacances à la mer.

Courrier électronique. **UN NOUVEAU POSTE**

Coucou, ma chère Ariane,

Comment vas-tu ? Cela fait longtemps que je ne t'ai pas donné de nouvelles. Tu sais peut-être que j'ai enfin retrouvé du travail, juste au moment où je commençais à être déprimée de rester au chômage. Quand on est cadre, il n'est pas facile de trouver un emploi intéressant et correctement payé ! Ouf, ça y est, j'ai été embauchée par une PME spécialisée en matériel médical. J'ai un poste de responsable commerciale.

J'en suis ravie, tu l'imagines bien. J'ai déjà sympathisé avec plusieurs collègues. Le seul problème, c'est mon patron. Il ne manque pas d'intelligence mais c'est un ambitieux. Il est beaucoup trop autoritaire pour moi. Quand j'organise une réunion, il n'arrête pas de me couper la parole. Personne ne peut donner son point de vue, c'est lui qui prend toutes les décisions.

Il a des qualités, pourtant : il est travailleur, rigoureux et extrêmement organisé. Je crois qu'il apprécie mon travail, car il ne me critique pas trop. Il m'a même fait un compliment hier, ce qui est rare !

Mon poste est intéressant : je dois gérer une équipe d'une dizaine de personnes. Je passe beaucoup de temps à négocier des contrats. Dans une quinzaine de jours, je vais commencer à voyager, en France et un peu en Europe. Je te tiendrai au courant !

À très bientôt et gros bisous.

Julie

1   Vrai ou faux ?

	VRAI	FAUX
1. Julie a trouvé un stage.	☐	☐
2. Elle travaille dans une énorme entreprise.	☐	☐
3. Elle a beaucoup de responsabilités.	☐	☐
4. Elle s'entend bien avec certains collègues	☐	☐
5. Son patron interrompt Julie pendant les réunions.	☐	☐
6. Julie méprise son patron.	☐	☐
7. Julie travaille avec une équipe.	☐	☐
8. Elle va commencer à voyager dans deux semaines environ.	☐	☐

2   Choisissez la bonne réponse.

1. Elle a de hautes responsabilités dans l'entreprise, elle est | ambitieuse | collègue | cadre |.

2. Malheureusement, Paul est | embauché | au chômage | travailleur |.

3. Il interrompt tout le monde, il | donne | prend | coupe | la parole à ses collègues.

4. Mon chef m'a | mis | donné | fait | un compliment !

5. J'aimerais connaître votre | point de vue | parole | réunion |.

6. Elle | gère | participe | négocie | une équipe.

3   Complétez par le nom approprié.

1. Il est intelligent, il ne manque pas _____.

2. Il dirige la PME, c'est lui le _____.

3. Denis a perdu son travail, il est maintenant au _____.

4. Il est directeur des ventes, il a le statut de _____.

5. Elle nous interrompt tout le temps, elle nous coupe _____.

6. Un groupe de travail, c'est une _____, comme dans le sport.

Textos. **LA VIE QUOTIDIENNE...**

1. Je sors de mon entretien d'embauche. Ça s'est bien passé. J'ai bien répondu aux questions du DRH. Il doit discuter avec ses collègues et il me tiendra au courant.

2. Je viens de voir une pièce de théâtre magnifique ! Les acteurs sont extraordinaires, la mise en scène est superbe. Ça a un succès fou. S'il reste des places, tu devrais aller la voir.

3. Encore bloqué dans des embouteillages ! J'en ai plein le dos ! Tout cela pour aller voir mon beau-père, qui est aimable comme une porte de prison !

4. Tu as vu la nouvelle petite amie de Léo ? Elle est moche comme un pou !

5. Le loyer n'est pas cher, c'est assez clair et calme, mais c'est vraiment en mauvais état ! Il faut tout repeindre et changer la moquette. Et la cuisine n'est pas équipée. Qu'est-ce que tu en penses ?

6. Tu as quelque chose de prévu, demain ? Il y a une expo intéressante à voir. Apparemment, ça vaut la peine. Je suis pris le matin, mais libre l'après-midi.

7. Bruno s'entraîne pour le tournoi de dimanche prochain. Je l'accompagne au stade puis je rentre en fin d'après-midi. Je me dépêcherai pour arriver à temps.

8. J'ai trouvé un haut superbe, en pure soie, bleu clair uni. Un peu classique, mais assorti à ses yeux. Je le prends ? Il coûte les yeux de la tête, mais je ne voudrais pas avoir l'air radin !

9. Ouf, l'opération s'est bien passée. Maman est un peu faible, mais elle sortira de l'hôpital mardi.

10. La prof a rendu les copies. J'ai eu 19/20 en maths ! Et pourtant, je n'avais pas révisé !

---

1 **Associez une phrase à un texto.**

1. Il ou elle critique l'apparence de quelqu'un.

2. Il ou elle hésite à acheter.

3. Il ou elle pense à des travaux.

4. Il ou elle espère ne plus être au chômage.

5. Il ou elle est fier(e).

6. Il ou elle est dans sa voiture.

7. Il est sportif.

8. Il ou elle est rassuré(e).

9. Il ou elle propose une sortie.

10. Il ou elle donne un conseil.

---

2 **Les phrases suivantes sont-elles synonymes ?**

1. Elle est moche = elle est laide.

2. Ça coûte les yeux de la tête = ça coûte cher.

3. Elle n'est pas prise ce soir = elle est libre.

4. Il a révisé = il a corrigé des copies.

5. Elle se dépêche = elle a le temps.

6. Il est aimable = il est amoureux.

---

3 **Complétez par un verbe approprié.**

1. _____-moi au courant de l'évolution de la situation, cela change tout le temps.

2. Elle doit _____ si elle veut arriver à temps, car elle est en retard !

3. Cela _____ la peine de voir ce film, il est splendide.

4. L'élève _____ une très bonne note en géographie.

5. Les sportifs _____ avant le match, pour être bien préparés.

---

4 **Pour chaque texto, imaginez le contexte, et une réponse possible du destinataire.**

5 *Courrier électronique.* **UNE MAUVAISE SURPRISE**

[…] Je rentre de vacances et tu ne sais pas ce qui m'est arrivé ? Ma maison a été cambriolée en mon absence. Quelle pagaille ! Les armoires, les placards et tous les tiroirs étaient ouverts. Bien sûr, les cambrioleurs ont emporté tous les appareils électroniques : l'ordinateur, la chaîne hifi, l'appareil photo et le téléviseur… Heureusement, j'avais sauvegardé tous mes documents et mes photos sur des clés USB et sur un site Internet…

On a aussi volé quelques tableaux, en particulier un joli paysage et un portrait de femme, peints par un cousin éloigné. Ils étaient sans valeur financière, mais je les aimais beaucoup. De nombreux bibelots ont été cassés. Dans la chambre des enfants, tous les jouets aussi ont été sortis des placards : les poupées de Mathilde et les jeux de construction de Félix… Il y en avait partout !

La police est venue. Apparemment, il y a eu plusieurs cambriolages dans notre quartier, qui est plutôt tranquille et résidentiel. J'espère qu'on arrêtera les voleurs…

Tout cela va me coûter cher, et je ne sais pas combien l'assurance me remboursera. Comme tu sais, je ne roule pas sur l'or depuis mon divorce ! Enfin… Je reste optimiste, tout de même !

Quand les policiers sont partis, j'ai dû faire le ménage : j'ai passé l'aspirateur partout, lavé à la serpillière, tout rangé… Maintenant, j'ai mal au dos ! La seule bonne nouvelle, c'est que je suis invitée à dîner chez mon nouveau voisin, qui est très sympa. Ça tombe bien. […] Fanny

1 **Vrai ou faux ?**

	VRAI	FAUX
1. Fanny a volé une maison.	☐	☐
2. Toute la maison est en désordre.	☐	☐
3. Fanny a perdu tous ses documents informatiques.	☐	☐
4. Fanny connaît des peintres célèbres.	☐	☐
5. Des objets décoratifs ont été volés.	☐	☐
6. Fanny a deux enfants adolescents.	☐	☐
7. Son quartier est plutôt calme.	☐	☐
8. Fanny est aisée.	☐	☐

2 **Associez pour constituer une phrase complète.**

1. Il a sauvegardé
2. J'ai lavé le sol avec
3. Ce tableau représente
4. Mon petit garçon joue avec
5. La salle de séjour est décorée par
6. Il ne roule pas sur

a. un jeu de construction.
b. l'or.
c. ses documents.
d. la serpillière.
e. un jeune homme.
f. de nombreux bibelots.

3 **Complétez par un mot du texte.**

1. Une commode comporte en général trois _____.

2. Je prends des photos avec mon _____.

3. Plusieurs _____ de Monet sont exposés au musée d'Orsay à Paris.

4. La petite Juliette joue à la _____ : elle l'habille, la peigne, lui parle…

5. J'ai passé _____ pour enlever la poussière du tapis.

6. Après le cambriolage, ils ont appelé _____ qui est venue tout de suite.

Article de journal. **UNE BELLE RÉUSSITE !**

À l'heure de la lutte contre les discriminations, le racisme, les problèmes sociaux, voici l'histoire d'une belle réussite amicale et professionnelle ! Mourad et Ivan sont à la tête d'une belle petite fortune, après avoir créé leur PME d'informatique.

« Nous nous sommes rencontrés par hasard, chez des amis. Nous avons commencé à discuter, puis nous nous sommes revus et l'idée de monter une entreprise ensemble est rapidement venue », raconte Ivan. Les deux jeunes gens ont dû d'abord emprunter de l'argent aux banques, ce qui n'a pas été facile. « On ne nous faisait pas confiance, nous étions trop jeunes. Finalement, comme notre projet était solide, ça a marché », se souvient Mourad. « Nous avons été convaincants ! Nous avons pu obtenir un prêt. » Mourad, fils d'immigrés algériens, a fait des études de maths à Toulouse, encouragé par ses parents. Ivan, lui, est un fils de réfugiés. Il est arrivé en France à l'âge de 8 ans, avec ses parents, qui avaient demandé l'asile politique. Le jeune Ivan montre rapidement des dons en langues, qu'il apprend vite et bien. Après avoir passé son bac, il est admis dans une école de commerce. « Je n'étais qu'un petit provincial, et en plus, d'origine étrangère. Cela a été dur au début, et puis finalement, je me suis fait respecter. »

Les deux amis ont mis leurs compétences en commun. Mourad invente et conçoit les nouveaux logiciels, Ivan s'occupe de la promotion et de la vente, surtout à l'étranger. Belle image d'une intégration et d'un succès social remarquables !

1 Vrai ou faux ?

	VRAI	FAUX
1. Mourad et Ivan sont maintenant très aisés.	☐	☐
2. Tous les deux sont d'origine étrangère.	☐	☐
3. Ils sont des cousins éloignés.	☐	☐
4. Ivan parle des langues étrangères.	☐	☐
5. Mourad crée des programmes informatiques.	☐	☐

2 Retrouvez dans le texte un synonyme des expressions soulignées.

1. Les deux amis ont créé une <u>société</u> d'informatique. → _____

2. Les deux hommes <u>ont parlé</u> ensemble. → _____

3. Ivan <u>a</u> des dons en langues. → _____

4. Ivan <u>entre</u> dans une école de commerce. → _____

5. Ivan <u>n'est pas parisien</u>. → _____

6. Mourad crée des <u>programmes informatiques</u>. → _____

3 Complétez par des mots du texte.

1. Noémie _____ des _____ de biologie à la fac.

2. Philippe a _____ de l'argent à son grand-père, qui est très aisé.

3. Faroudja a été _____ dans une bonne école d'architecture.

4. Victor doit rembourser son _____ à la banque.

5. Jérémie a quitté son pays pour des raisons politiques, c'est un _____ qui a demandé _____ politique.

7 *Dialogue.* **UN PASSIONNÉ D'ÉCOLOGIE…**

Mireille : Alors, parle-moi de ton nouveau travail ! Tu es content ?

Julien : Oh oui, c'est super ! J'ai été embauché par un grand cabinet d'architecture, spécialisé dans la construction « verte ». Pour moi qui suis écologiste, cela me convient parfaitement ! Je vais travailler sur de nouvelles techniques et sur l'utilisation des énergies renouvelables. C'est passionnant.

Mireille : Moi, l'écologie m'ennuie… J'en ai assez de toutes ces annonces de catastrophes et ces débats sur le réchauffement climatique ! Je crois au progrès et à la technologie, voilà.

Julien : Mais ce n'est pas contradictoire ! Justement, on peut utiliser les inventions technologiques pour lutter contre la pollution et aider à protéger l'environnement ! Nous avons des projets partout en Europe, avec des collaborations très intéressantes.

Mireille : Et comment toi, l'écologiste, tu vas voyager en Europe ? À vélo, pour ne pas polluer ?

Julien : Ici, je me déplace à vélo, c'est vrai… Bien sûr, je serai obligé de prendre l'avion ou la voiture de temps en temps, mais le moins souvent possible…

Mireille : Une voiture ? Un avion ? Quelle horreur ! Tu n'as pas honte ? *(rires)*

1 **Vrai ou faux ?**

	VRAI	FAUX
1. Julien vient de trouver un emploi.	☐	☐
2. Son travail est très intéressant.	☐	☐
3. Mireille s'intéresse à l'écologie.	☐	☐
4. Ils partagent les mêmes opinions.	☐	☐
5. Julien déteste les nouvelles technologies.	☐	☐
6. Julien se déplace seulement à vélo.	☐	☐

2 **Associez pour constituer une phrase complète.**

1. Il a été embauché   a. la pollution.

2. Il est   b. par une PME.

3. Il craint le réchauffement   c. le moins souvent possible.

4. Il s'intéresse aux inventions   d. à vélo.

5. Il lutte contre   e. écologiste.

6. Il se déplace   f. climatique.

7. Il prend l'avion   g. technologiques.

3 **Retrouvez dans le texte un synonyme des expressions soulignées.**

1. Il a été <u>recruté</u>. → _____

2. C'est <u>très intéressant</u>. → _____

3. Cela <u>ne m'intéresse pas</u>. → _____

4. J'en ai <u>plein le dos</u> ! → _____

5. Il <u>fait des trajets</u>. → _____

4 **Choisissez la phrase qui résume le mieux le texte.**

1. Julien essaye de convaincre Mireille de devenir écologiste.

2. Julien, qui est écologiste, fait ce qu'il peut pour ne pas polluer et protéger l'environnement.

3. Les idées de Julien sont en profonde contradiction avec ses actes.

Dialogue. **COMMENT TU T'HABILLES ?**

Larissa : Comment tu vas t'habiller, pour la crémaillère d'Anne et Christian ?

Zoé : Je vais mettre ma belle jupe à fleurs, avec un haut en dentelle. Tu as vu les sandales rouges que j'ai trouvées pour aller avec ?

Larissa : Elles sont magnifiques ! En plus, le rouge et le noir te vont très bien.

Zoé : C'est peut-être un peu trop habillé, pour une soirée d'été, tu ne crois pas ?

Larissa : Non, à mon avis, tu seras très élégante. Moi, par contre, je ne sais pas comment m'habiller. Je n'ai plus rien à me mettre ! En plus, je suis fauchée…

Zoé : Viens avec moi, je connais une petite boutique qui vend des robes pour trois fois rien.

Larissa : Je n'ai vraiment plus un sou… Mes parents disent toujours que je jette l'argent par les fenêtres, mais ce n'est pas vrai. Ce sont eux qui sont radins.

Zoé : Tu exagères un peu, ils sont plutôt généreux, tes parents ! Si tu ne veux rien leur demander, je peux te prêter une tenue. On va regarder dans mon armoire. Dans cette pagaille, on trouvera bien quelque chose pour toi…

Larissa : Tu es adorable… Tu as toujours eu le cœur sur la main !

Zoé : Le seul problème, c'est que tu es beaucoup plus mince que moi. J'ai toujours du mal à garder la ligne, je suis trop gourmande ! J'ai encore grossi, ces dernières semaines.

Larissa : Mais tu n'es pas grosse ! Tu es toujours au régime, tu fais de l'exercice, tu es superbe !

1 Vrai ou faux ?

	VRAI	FAUX
1. Anne et Christian viennent d'emménager.	☐	☐
2. La jupe de Zoé n'est pas unie.	☐	☐
3. Zoé va mettre des bottines.	☐	☐
4. Larissa ne veut pas se changer.	☐	☐
5. Elle n'a pas les moyens de s'acheter une tenue.	☐	☐
6. Zoé connaît des boutiques chères.	☐	☐
7. Larissa pense que ses parents sont avares.	☐	☐
8. Zoé n'est pas ordonnée.	☐	☐
9. Zoé est généreuse.	☐	☐
10. Elle ne fait jamais de sport.	☐	☐

2 Retrouvez dans le texte un synonyme de ces phrases.

1. Elle n'a plus d'argent. → _____

2. Ça ne coûte pas cher. → _____

3. Elle n'a pas de vêtements. → _____

4. Elle est dépensière. → _____

5. Elle est très généreuse. → _____

6. Elle ne mange ni sucre, ni graisse… → _____

3 Choisissez la bonne réponse.

1. Elle va | s'habiller | mettre | une jolie tenue.

2. Cette couleur vous | fait | va | bien.

3. Elle jette l'argent par les | portes | fenêtres |.

4. La robe coûte | trois | deux | fois rien.

5. Elle a | pris | perdu | du poids, elle a grossi.

6. Elle | est | a | au régime.

4 Imaginez la suite de la situation : la réponse de Zoé à la dernière phase de Larissa et la tenue que les deux filles vont choisir.

🎧 *Courrier électronique.* **COMMENT PEUT-ON ÊTRE FRANÇAIS ?**

Coucou, Nadia !

Me voici à Paris pour un semestre. Quelle aventure ! Heureusement que je suis bilingue et que je n'ai aucun problème de communication. Les cours à la fac se passent bien, les profs sont plutôt sympas, mais exigeants. Pour l'instant, j'ai eu d'assez bonnes notes, sauf une fois en histoire.

Je suis logée dans une famille française ; il faut que je m'habitue à ces nouvelles manières de vivre. D'abord, c'est l'année de l'élection présidentielle, alors on parle de politique à table à longueur de journée ! Les parents sont de gauche, les enfants de droite, donc ils se disputent tout le temps… Cela me donne l'impression qu'ils se détestent, mais non, ils s'adorent ! Ce n'est pas comme chez moi, où tout le monde doit être d'accord… On m'avait dit que les Français aimaient les débats, mais je te confirme que c'est vrai.

La mère est une excellente cuisinière, et le père est passionné de vin. Quand on ne parle pas de politique, on parle de cuisine. Ils passent des heures à se demander si les produits bio sont meilleurs que les produits fermiers. Moi, je suis perdue, et je trouve que tout est délicieux !

L'autre soir, j'ai préparé une tarte aux pommes. La mère l'a goûtée et elle m'a dit : « Elle n'est pas mal. » J'étais déçue, parce que je la trouvais très réussie. Heureusement que Quentin, le fils, m'a expliqué que c'était un compliment ! Les différences culturelles sont passionnantes, mais pas toujours faciles à comprendre. […]

Emily

1 **Vrai ou faux ?**

	VRAI	FAUX
1. Emily parle parfaitement le français.	☐	☐
2. Elle est étudiante à l'université.	☐	☐
3. Elle a raté ses examens.	☐	☐
4. La famille ne parle pas beaucoup à table.	☐	☐
5. Emily n'aime pas parler de cuisine.	☐	☐
6. Le gâteau d'Emily n'était pas bon.	☐	☐

2 **Complétez en employant les mots du texte.**

1. La moitié d'une année universitaire est un _____.

2. Quand on parle deux langues, on est _____.

3. Si on n'est pas de droite, politiquement, on est _____.

4. Si on confronte des opinions différentes, on organise un _____.

5. Quand on dit du bien de quelque chose, on fait des _____.

3 **Choisissez la bonne réponse.**

1. À la fac, les | profs | étudiants | sont exigeants.

2. Les cours | passent | se passent | bien.

3. Ils se | disputent | discutent | beaucoup.

4. Tout le monde est | en accord | d'accord |.

5. Je suis content, mon plat est | réussi | raté |.

4 **Imaginez le même genre de courrier, écrit par un(e) étudiant(e) étranger (-ère) dans votre pays.**

TEST D'ÉVALUATION

Total : … /100

1 **Choisissez les termes possibles.** … /10

1. Thibaut me fait des compliments | reproches | conseils | relations | critiques .

2. Katia demande un conseil | l'asile politique | le divorce | un réfugié | une liaison .

3. Barbara donne une interview | des conseils | des reproches | des mensonges .

4. Je partage tes sentiments | une discussion | ton point de vue | ta parole .

5. Je suis pris | en pleine forme | pressé | mal à la tête | tard | d'accord .

6. Elle prend son temps | du sport | du bénévolat | une douche | sa leçon .

7. Il gagne de l'argent | du temps | un match | sa vie | un prix littéraire .

8. Sophie a bonne mine | les courses | mal au ventre | une bonne note | en larmes .

9. David bat du tennis | les cartes | la table | un pull | le record du monde .

10. Renaud passe la fenêtre | l'aspirateur | le sol | du temps | son bac .

2 **Complétez par les noms appropriés.** … /10

1. On peut se parfumer avec du _____ ou de _____.

2. Après avoir pris une douche, on s'essuie avec une _____ de toilette.

3. Ce grand acteur a toujours le _____ avant de se produire en public : il tremble !

4. Sylvie a reçu une _____ parce que sa voiture était garée en _____ interdit.

5. Pour faire cuire des légumes très rapidement, on utilise une _____.

6. J'ouvre le _____ pour faire couler l'eau.

7. Mon frère a bon _____, il est très généreux.

8. Le 1er mai tombe un jeudi, nous ne travaillons pas vendredi, nous faisons _____.

9. En France, les autoroutes sont payantes, on doit payer au _____.

10. Ce pauvre garçon est ennuyeux comme _____ !

3 **Trouvez une réponse appropriée.** … /10

1. Une réunion mercredi, à 15 heures, ça vous va ?

– _____

2. Votre anniversaire tombe quel jour cette année ?

– _____

3. Vous travaillez dans quoi ?

– _____

4. Qu'est-ce qu'il y a, ce soir, à la télé ?

– _____

5. Vous êtes d'où ?

– _____

6. Ça te dirait d'aller voir un ballet, vendredi soir?

– _____

7. Votre habitation est de quelle époque ?

– _____

8. Quel livre est-ce que vous me conseillez de lire ?

– _____

9. Ça coûte cher ?

– _____

10. Je suis désolé, l'hôtel est complet !

– _____

4   **Comment appelle-t-on...**   ... /10

1. un homme qui vérifie qu'un match se déroule correctement ? → _____

2. une femme qui possède une maison ? → _____

3. une femme qui a perdu son mari ? → _____

4. la mère de mon mari ? → _____

5. un homme qui travaille pour un service public ? → _____

6. un homme qui a perdu son travail ? → _____

7. une femme qui conduit sa voiture ? → _____

8. une femme qui représente le peuple à l'Assemblée nationale ? → _____

9. un homme qui fait partie du public d'un concert ? → _____

10. le mari de ma fille ? → _____

5   **Vrai ou faux ?**   ... /10

	VRAI	FAUX
1. Il me coupe la parole = il se tait.	☐	☐
2. Il est cadre dans une entreprise = il a de hautes responsabilités.	☐	☐
3. Elle est témoin à un mariage = elle va se marier.	☐	☐
4. Ils ont pris un coup de soleil = ils sont bronzés.	☐	☐
5. Elle gagne correctement sa vie = elle est riche.	☐	☐
6. C'est mon beau-frère = nous avons la même mère et un père différent.	☐	☐
7. Elle est sourde = elle voit très mal.	☐	☐
8. Il corrige des copies = il est professeur.	☐	☐
9. Il repasse = il utilise un fer à repasser.	☐	☐
10. Je me dépêche = je ne prends pas mon temps.	☐	☐

6   Trouvez une question appropriée. Plusieurs solutions sont possibles.   ... /10

1. _____ ?

– Je travaille dans la finance.

2. _____ ?

– Mais bien sûr, je vous en prie !

3. _____ ?

– Il date du XVIIe siècle.

4. _____ ?

– Non, je reste en pantalon.

5. _____ ?

– C'est une belle brune aux yeux noirs.

6. _____ ?

– J'en suis à la page 124.

7. _____ ?

– Non merci, je rappellerai plus tard.

8. _____ ?

– Ça tombe un jeudi.

9. _____ ?

– Non, franchement, ça ne me dit rien !

10. _____ ?

– J'en ai pour dix minutes.

7   Complétez par un verbe approprié. Plusieurs solutions sont parfois possibles.   ... /10

1. Nous souhaitons acheter une maison, nous devons _____ de l'argent à la banque.

2. Quelle note est-ce que tu _____ à ton devoir de maths ?

3. Je _____ les dents avec une brosse à dents et du dentifrice.

4. Ce pull bleu vous _____ très bien ! Il est assorti à la couleur de vos yeux.

5. À quelle heure est-ce que vous _____ à table ?

6. Vous pouvez _____ le son, s'il vous plaît ? C'est trop fort !

7. De nombreux cinéastes _____ des films à Paris.

8. Pendant la conférence, Sarah n'a pas ouvert la bouche, elle _____.

9. Avant de conduire sa voiture, on doit _____ sa ceinture de sécurité.

10. L'équipe de rugby va _____ un match important samedi prochain.

8   Répondez par le contraire.   ... /10

1. C'est un film parlant ? → Non, _____

2. Tu mets la table ? → Non, _____

3. Vous dépensez tout votre argent ? → Non, _____

4. Le temps s'améliore ? → Non, _____

5. Tu mets un pull ? → Non, _____

6. Elle reste en pantalon ? → Non, _____

7. Votre montre avance ? → Non, _____

8. Clément éprouve de la joie ? → Non, _____

9. Ce gâteau est plutôt lourd ? → Non, _____

10. Élodie a raté son bac ? → Non, _____

9   **Civilisation française. Vrai ou faux ?**   ... /10

	VRAI	FAUX
1. Les Français parlent facilement de l'argent qu'ils gagnent.	☐	☐
2. Il arrive qu'on s'embrasse, même dans le contexte professionnel.	☐	☐
3. On peut envoyer des cartes de vœux pendant tout le mois de janvier.	☐	☐
4. En général, on ne boit pas de café avant le repas.	☐	☐
5. Le baccalauréat est un examen de fin d'études supérieures.	☐	☐
6. Les Parisiens critiquent les provinciaux, et vice versa.	☐	☐
7. La culture générale est seulement littéraire.	☐	☐
8. L'emblème de la République française est une jeune femme.	☐	☐
9. Quand on est invité à dîner, on doit faire des compliments sur les plats.	☐	☐
10. Un produit « fermier » est moins bon qu'un produit industriel.	☐	☐

10   **Connaissez-vous les expressions imagées ? Complétez.**   ... /10

1. Matthieu est resté très calme au moment de l'accident, il a gardé son _____

2. Ce bijou coûte extrêmement cher, il coûte _____ de la _____ !

3. Mon voisin fait des travaux dans son appartement, le bruit me tape sur _____ !

4. Anne n'a pas dormi cette nuit, la pauvre, elle n'a pas fermé _____ de la nuit !

5. Véronique adore parler, elle est vraiment bavarde comme _____ !

6. Cet employé m'a menti, il m'a mené en _____.

7. Natacha est jolie, heureuse, harmonieuse, elle est bien dans sa _____.

8. Le voyage a été long, l'avion était en retard, on a perdu mes bagages, j'en ai vraiment plein _____ !

9. Christian prend soin de tout le monde, il est bon comme _____.

10. Nous partons en vacances une veille de week-end, on annonce des kilomètres d'embouteillages sur les routes, nous ne sommes pas sortis de _____ !

CORRIGÉS DU TEST D'ÉVALUATION

1. 1. compliments, reproches, critiques – **2.** un conseil, l'asile politique, le divorce – **3.** une interview, des conseils – **4.** tes sentiments, ton point de vue – **5.** pris, en pleine forme, pressé, d'accord – **6.** son temps, une douche – **7.** de l'argent, du temps, un match, sa vie – **8.** bonne mine, mal au ventre, une bonne note – **9.** les cartes, le record du monde – **10.** l'aspirateur, son bac.

2. 1. parfum, l'eau de toilette – **2.** serviette – **3.** trac – **4.** contravention / amende, stationnement – **5.** cocotte-minute – **6.** robinet – **7.** cœur – **8.** le pont – **9.** péage – **10.** la pluie.

3. *(réponses possibles)* **1.** Oui, 15 heures, ça me va très bien. / Non, désolé(e), à 15 heures, je suis pris(e). – **2.** Il tombe un mercredi. – **3.** Je travaille / suis dans la presse. – **4.** Il y a un mauvais film et une bonne émission politique ! – **5.** Je suis de Bordeaux. – **6.** Oui, volontiers ! / Non, franchement, ça ne me dit rien ! – **7.** Mon immeuble date des années 30. – **8.** Je vous conseille le dernier livre de Modiano. – **9.** Non, ça coûte trois fois rien. / Oui, ça coûte les yeux de la tête ! – **10.** Tant pis ! C'est dommage !

4. 1. un arbitre – **2.** une propriétaire – **3.** une veuve – **4.** ma belle-mère – **5.** un fonctionnaire – **6.** un chômeur – **7.** une conductrice – **8.** une députée – **9.** un spectateur – **10.** mon gendre.

5. 1. F – **2.** V – **3.** F – **4.** F – **5.** F – **6.** F – **7.** F – **8.** V – **9.** V – **10.** V.

6. *(réponses possibles)* **1.** Vous travaillez / êtes dans quoi ? – **2.** Je peux m'asseoir ? – **3.** De quand date ce château ? – **4.** Tu te changes ? – **5.** Elle est comment ? – **6.** Tu en es où ? – **7.** Je peux prendre un message ? – **8.** Le 14 juillet tombe quel jour cette année ? – **9.** Ça te dirait d'aller au cinéma, ce soir ? – **10.** Tu en as pour longtemps ?

7. 1. emprunter – **2.** as eue – **3.** me brosse / me lave – **4.** va – **5.** vous mettez / passez – **6.** baisser – **7.** tournent / font – **8.** est restée silencieuse, elle s'est tue – **9.** attacher / mettre – **10.** disputer.

8. 1. c'est un film muet – **2.** je la débarrasse – **3.** J'en mets de côté, j'en économise – **4.** il se dégrade – **5.** J'enlève un pull – **6.** elle se change – **7.** elle retarde – **8.** il éprouve de la tristesse – **9.** il est plutôt léger – **10.** elle l'a réussi / elle l'a eu !

9. 1. F – **2.** V – **3.** V – **4.** V – **5.** F – **6.** V – **7.** F – **8.** V – **9.** V – **10.** F.

10. 1. sang-froid – **2.** les yeux de la tête – **3.** les nerfs – **4.** l'œil – **5.** une pie – **6.** bateau – **7.** peau – **8.** le dos – **9.** le pain – **10.** l'auberge.

INDEX

La catégorie grammaticale du mot est indiquée entre parenthèses ainsi que le genre des noms.

n. = nom
m. = masculin
f = féminin
pron. = pronom
v. = verbe

adj. = adjectif
adj. invar. = adjectif invariable
adj. poss. = adjectif possessif
adj. num. = adjectif numéral
adv. = adverbe

interj. = interjection
loc. = locution
loc. adv. = locution adverbiale

capitaine (n.m.) **110**
capuche (n.f.) **62**
car (n.m.) **110**
caractère (n.m.) **24, 26, 44**
carafe (n.f.) **94, 96**
caravane (n.f.) **116**
carburant (n.m.) **112**
cardiaque (adj.) **52**
caresser (v.) **44, 50**
carnet (n.m.) **142**
carotte (n.f.) **88, 98**
carré(e) (adj. et n.m.) **60**
carreau (n.m.) **64, 82**
carrelage (n.m.) **74, 82**
carrière (n.f.) **134**
cartable (n.m.) **124**
carte (n.f.) **10, 96, 100, 110, 116,
120, 144, 154**
carton (n.m.) **70, 76, 88, 104**
cartouche (n.f.) **124, 136**
casque (n.m.) **112, 138**
casquette (n.f.) **66**
casserole (n.f.) **92**
catalogue (n.m.) **168**
catastrophe (n.f.) **46**
catégorie (n.f.) **132**
catholique (adj. et n.) **28, 150**
caution (n.f.) **76**
cavalier (-ière) (n.) **104**
cave (n.f.) **72**
CD (n.m.) **138**
CD-Rom (n.m.) **136**
ceinture (n.f.) **66, 106, 112**
célèbre (adj.) **170**
célibataire (adj. et n.) **16**
cendrier (n.m.) **94**
centimètre (n.m.) **38**
central(e) (adj.) **76, 136**
centrale (n.f.) **46**
céréale (n.f.) **44, 94, 132**
cerveau (n.m.) **52**
chagrin (n.m.) **20**
chagriner (v.) **20**
chaîne (n.f.) **66, 138**
chaise (n.f.) **72**
chaleur (n.f.) **36**
chambre (n.f.) **62, 70, 116**
chameau (n.m.) **120**
champ (n.m.) **44**
champagne (n.m.) **96**
champion(ne) (n.) **102**

championnat (n.m.) **102**
chance (n.f.) **10**
change (n.m.) **116, 146**
changeant(e) (adj.) **36**
changement (n.m.) **40, 110, 152**
changer (se) (v.) **66, 90, 108, 110,
112, 116, 120, 138, 146**
chanter (v.) **44, 172**
chanteur (-euse) (n.) **172**
chantier (n.m.) **132**
chapeau (n.m.) **66**
chapeau* (interj.) **10**
chapitre (n.m.) **170**
chargé(e) (adj. et n.) **36, 130**
chariot (n.m.) **84**
charme (n.m.) **58**
chasse-neige (n.m.) **38**
chat (n.m.) **44**
châtain (adj.) **56, 60**
château (n.m.) **118, 168**
chaud(e) (adj.) **20, 36, 94, 98**
chauffage (n.m.) **76**
chauffer (v.) **70**
chauffeur (n.m.) **130**
chausser (v.) **68**
chaussette (n.f.) **64**
chaussure (n.f.) **64, 68**
chauve (adj.) **60**
chef (n.m.) **92, 130, 132, 172**
chelem (n.m.) **102**
chemin de fer (n.m.) **108**
cheminée (n.f.) **70**
chemise (n.f.) **62, 124**
chemisier (n.m.) **62**
chèque (n.m.) **142, 144**
chéquier (n.m.) **142**
cher (chère) (adj.) **90**
chéri(e) (adj. et n.) **6, 16**
cheval (n.m.) **60, 104, 118**
chevet (n.m.) **72**
cheveu (n.m.) **48, 56, 60, 80**
cheville (n.f.) **48**
chien (n.m.) **44**
chiffon (n.m.) **82**
chiffre (n.m.) **142**
chimie (n.f.) **126**
chimique (adj.) **44**
chocolat (n.m.) **88, 94, 98**
choisir (v.) **144**
chômage (n.m.) **132, 152**
chômeur (-euse) (n.) **132**

chorale (n.f.) **172**
chouette* (adj.) **24**
chrysanthème (n.m.) **42**
chuter (v.) **36**
cidre (n.m.) **96**
ciel (n.m.) **36**
cigare (n.m.) **86**
cigarette (n.f.) **86**
cimetière (n.m.) **20**
cinéaste (n.) **170**
ciné-club (n.m.) **170**
cinéma (n.m.) **170**
cinémathèque (n.f.) **170**
cinquième (adj. et n.f.) **122**
cintre (n.m.) **72**
circuit (n.m.) **106, 120**
circulation (n.f.) **108, 114**
circuler (v.) **114**
cirer (v.) **82**
ciseaux (n.m.) **124**
citron (n.m.) **98**
civil(e) (adj.) **16**
civilisation (n.f.) **128**
clair(e) (adj.) **36, 56, 60, 62, 76, 166**
classe (n.f.) **108, 122, 124**
classeur (n.m.) **86, 124**
classique (adj. et n.m.) **66, 68, 170,
172**
clavier (n.m.) **136**
clé (n.f.) **70**
clé USB (n.f.) **136**
client(e) (n.) **86**
clignotant (n.m.) **112**
climat (n.m.) **36, 40**
climatique (adj.) **40, 152**
clôture (n.f.) **70**
club (n.m.) **102, 116**
cochon (n.m.) **44**
cocktail (n.m.) **96**
cocotte (n.f.) **92**
cocotte-minute (n.f.) **92**
code (n.m.) **70, 140, 144**
cœur (n.m.) **10, 16, 52, 128**
coffre (n.m.) **112**
cognac (n.m.) **96**
coiffé(e) (adj.) **58**
coiffer (se) (v.) **80**
coiffeur (-euse) (n.) **130**
coiffure (n.f.) **60**
coin (n.m.) **72**
col (n.m.) **62**

N° d'éditeur : 10165539 - Septembre 2011
Imprimé en France par I.M.E. - 25110 Baume-les-Dames